FIRST READINGS

IN

Spanish

Literature

BY

MINNIE M. MILLER, Ph.D.
Kansas State Teachers College of Emporia

AND

GERALDINE FARR, M.S.
Baker University

D. C. HEATH AND COMPANY   Boston

Preface

THE *First Readings in Spanish Literature* aims to present to the student, as early as the second or third semester, some of the great works in the Spanish language. Both Spanish and Spanish American works are included. The chronological order has been followed, and each selection is preceded by brief remarks on the author and his literary period. English is used for these biographies and for the more general literary introduction because the book is intended for the intermediate student. The text is planned so that if the student cannot devote much time to the study of the language he will at least have the pleasure of reading worth-while material, or if he is able to continue his study of Spanish he may have early in his course an introduction to the men and movements that he will later study more thoroughly.

The footnotes for each selection list, in general, all words not in the first fifteen hundred words of the Buchanan *Graded Spanish Word Book* with the exception of obvious cognates, evident derived forms, and names of characters. A difficult word is explained only once in any selection but may also be explained in another passage. The spelling has been modernized in the earlier selections unless this interferes with rhyme or rhythm. The wording of the selections has not been changed except in rare instances. All omissions of any importance are indicated by the sign . . . .

Students and teachers will find additional information concerning the authors and their works in the following books of the Heath Modern Language Series: Benavente, *Tres comedias;* Boggs, *Outline History of Spanish Literature;* Rubén Darío, *Poetic and Prose Selections;* Ford,

Spanish Fables in Verse; Romera-Navarro, *Antología de la literatura española* and *Historia de la literatura española;* and Weisinger, *Readings from Spanish American Authors* and *A Guide to Studies in Spanish American Literature.*

The selections and notes were used in mimeographed form during the spring and summer of 1941 by the first-year Spanish classes of Ward-Belmont School at Nashville, Tennessee, and the Kansas State Teachers College of Emporia. Thanks are hereby extended to the students of these classes for helpful suggestions offered.

M.M.M. and G.F.

Contents

CONTENTS

Introduction

WE invite you, in this little book, to become acquainted with some of the masterpieces of Spanish and Spanish American literature. However,
in order to understand the literature of a people it is
necessary to know something of the background of the
race which has produced it. When Spanish first emerged
as a consciously separate language, the country already
had a long cultural history behind it. As one of the most
prized of Rome's colonies, Spain had received the heritage
of the Latin language and Roman civilization. Spanish is
today the modern language which perhaps most closely
resembles the spoken language of the ancient Roman em-
pire. To this background of Roman culture was added
the influence of the Moors who occupied parts of Spain
from the eighth to the late fifteenth century. During the
Middle Ages, the Moors furnished many of the leading
mathematicians and scholars of Europe. A number of
Spanish words, such as *álgebra*, which has passed into
English, come from the Arabic language of the Moors.
Thus Spain received and passed on to Spanish America
this heritage of Roman civilization on which was grafted a
considerable Oriental influence brought in by the Moors.
The Spanish American republics have enriched the common language with many words taken from the Indian
dialects. Hence Spanish literature has certain unique
characteristics not to be found in the writings of any other
people.

The Iberian peninsula, occupied by Spain and Portugal,
is separated from the rest of Europe by the Pyrenees
Mountains. Spain has had, therefore, somewhat less contact with literary movements of Europe than have other

countries. The interior of Spain is likewise divided by mountain ranges. This difficulty of communication has developed a spirit of regionalism in Spain. It is not surprising that, in the medieval period, four or five kings ruled at the same time in various parts of the peninsula. It makes considerable difference whether a writer comes from gay and sunny Andalusia in southern Spain or from the austere plateau of Castile in the central part.

In spite of differences in Spanish character due to regionalism, there are certain qualities which may be considered typical of the literature of Spain and likewise of that of Spanish America. The first of these is a love of the heroic, a crusading spirit fostered by long centuries of struggle against foreign invaders. It is no surprise that the greatest character in Spanish literature is Don Quijote, that idealistic crusader who sallied forth to set the world right. But, alongside of the Quixotic knight rides his squire, Sancho Panza, more concerned with food and practical reality than with poetic justice. Spanish literature is one of the most democratic in the world. In no other country is there such a wealth of folk songs, *romances* or ballads of unknown origin, proverbs crystallizing the wisdom of the common man, and regional novels often telling of the life of the poorer classes. Spain is the home of the picaresque novel, that very antithesis of the heroic. The plays of Lope de Vega often synthesize the life and spirit of the common people. One notes, however, the absence of a great bourgeois literature, for Spanish countries have not developed a powerful middle class. Another characteristic of Spanish literature is the presence of much beautiful religious poetry. Spanish countries have been predominately Roman Catholic, and writers like Luis de León and Santa Teresa, of sixteenth-century Spain, and Sor Juana Inés de la Cruz, of seventeenth-century Mexico, have made a unique contribution to literature. Akin to this mystical poetry is the thought of death which runs through Spanish literature from the medieval Jorge Manrique's *Coplas* through Calderón's *La vida es sueño* down to the twentieth-century poetry and philosophy. Probably the most important trait of Spanish literature is individualism. It is difficult to divide authors into literary schools. Spain has followed somewhat such European movements as the Renaissance, Romanticism, Realism, etc., but always keeping the old and characteristically Spanish, even as she came under foreign influence. Spanish literature is colorful, sometimes unpolished, but always representative of the individual and his environment.

The earliest monument of Spanish literature is the *Poema de mío Cid,* that twelfth-century epic poem of unknown origin which tells of the glorious deeds of Rodrigo Díaz de Bivar, to whom his Moorish enemies in admiration gave the title of the *Cid* or the lord. There are many other heroes of epic stories, mostly dealing with combats against the Moors, but the poetical originals have been lost, for the most part, although the stories still live in chronicles and ballads. The chronicles date from the time of Alfonso *el sabio,* a thirteenth-century king of Castile whose intelligent patronage of literature made him the founder of Spanish prose. The nephew of Alfonso *el sabio* was Don Juan Manuel. His apologues, commonly known as *El conde Lucanor,* use the framework of a teacher telling stories to illustrate a moral truth. Many of the tales are Oriental in origin and indicate the Moorish influence in Spain. The greatest poet of medieval Spain is Juan Ruiz, the Archpriest of Hita, whose remarkable *Libro de buen amor* contains beautiful religious lyrics, worldly satires, stories of love, and well-known fables. The Middle Ages close with the *Coplas* of Jorge Manrique who gave perfect expression to the certainty of death as the end of all earthly vanity. The poet Henry Wadsworth Longfellow, professor of modern languages at Harvard University, translated the poems of Juan Ruiz and Jorge Manrique because he considered them representative of the best in Spanish poetry.

[ix]

Many short popular poems were written during the
Middle Ages. Examples of these are the *villancicos*
(Christmas songs) and the *serranillas* (mountain songs).
The best-known *serranilla* is one by the Marqués de Santillana, a great lord and a student of European literatures.
Another type of democratic literature is the *romance* which
tells of border struggles against the Moors. The narrative
romance is perhaps the most characteristic form of popular
poetry and is found wherever Spanish is spoken. There
are modern *romances* in Spain. The Mexican counterpart
is the *corrido*, a popular narrative using the *romance* versification.

The Renaissance in Spain coincided with the period of
Spain's discovery and early exploration of the New World.
The year of the discovery of America (1492) is also that of
the fall of the last Moorish stronghold in Granada. The
sixteenth century was the period of the *conquistadores*
who took the New World for Spain. They contributed
to literature such documents as the letters of Cortés to
Charles V. One of the masterpieces of this period is the
Comedia de Calisto y Melibea, better known as *La Celestina,*
a name taken from that of the picturesque go-between of
the lovers. As so often happens in Spanish literature, the
idealistic lovers are portrayed side by side with the realistic scenes of people from the lower classes. Almost un-
relieved realism is found in the picaresque novel, the epic
of hunger whose principal character is not a hero but a
servant and even a petty thief. Its tragically comic story
reveals a society based upon false standards of wealth
and social rank. The unknown author of the picaresque
Lazarillo de Tormes presents telling pictures of a blind
beggar, a miserly priest, a starving *hidalgo,* and other
outstanding contemporary types. In contrast with the
realism of the picaresque novel, the Renaissance produced
some beautiful lyric poetry, such as the aristocratic sonnets of Garcilaso de la Vega, who is known as the perfect
poet. The mystic writers used both prose and poetry.

Luis de León, mystic poet who saw nature as the expression of God, was also a writer of polished religious prose. He is one of the greatest of Spanish authors. Santa Teresa is noted for the fluent conversational style of her prose as well as for her lyrics of deep religious sentiment.

The *siglo de oro* includes approximately the period from the ascent to the throne of Philip II in 1556 to the death of Philip IV in 1665. The Spanish Armada was defeated in 1588, but Spain was still a powerful nation with vast lands in the New World. Murillo and Velázquez were noted Spanish painters of the period. Cervantes is the leading writer and *Don Quijote* is considered the most human of the world's novels. *Don Quijote* terminated by its genial satire the vogue for the romances of chivalry which were so popular in the early Renaissance. Lope de Vega, who wrote perhaps as many as eighteen hundred comedies as well as other works, shows how the common Spaniard of his time talked and thought. Among the clever authors of "cape and sword" plays was Tirso de Molina who wrote the first play about that attractive rake, Don Juan Tenorio. Quevedo, one of the most brilliant of Spanish writers, was almost too bitter in his satire of government and social ills. The latter part of the *siglo de oro* saw the rise of Gongorism with its over-emphasis on rhetoric and figures of speech. Its chief exponent, Góngora, wrote some charmingly simple lyrics, but several of his poems are almost unintelligible from too much ornamentation. The last great writer of the *siglo de oro*, Calderón de la Barca, was somewhat affected by the prevailing emphasis on rhetoric. His *La vida es sueño* is probably the greatest of Spanish plays.

The decadence of Spain was beginning to be felt in the late seventeenth century, and the eighteenth century marks the loss of prestige in literature and national importance. Samaniego and Iriarte wrote fables which show the current fashion of imitating the French.

Spain followed somewhat the European vogue for Romanticism in the early nineteenth century, although she characteristically kept her individualism and nationalism in literature. Espronceda, sometimes called the Spanish Byron, wrote poems which show his love of liberty and tendency to revolt against accepted standards. Larra had one of the keenest minds of his time and saw clearly the faults of his contemporaries, but his emotional nature led to suicide at an early age. A great lord, the Duque de Rivas, wrote *Romances históricos* and a play, *Don Álvaro*, which Verdi turned into an opera. A popular poet, Zorrilla, called a modern troubadour, wrote *leyendas* and *Don Juan Tenorio*, the play presented in many Spanish-speaking countries on All Souls' Day, November second. Bécquer was a belated Romanticist whose lyrics appeal to persons of many nationalities. Another nineteenth-century poet, Campoamor, was not identified with the Romantic movement but wrote poems of a popular philosophical nature.

The latter part of the nineteenth century witnessed the development of the regional novel. Almost every region of Spain was exploited for picturesque customs and folk-ways. Valera wrote of Andalusia, Pereda of the Montaña district around Santander, the Countess of Pardo Bazán of Galicia, and Blasco Ibáñez of Valencia. After the defeat suffered in the Spanish American War, writers of the generation of 1898 tried to find out what was wrong with Spain. Modern literature has followed the Spanish tendency to be individualistic and writers have developed various styles and lines of thought. Benavente is considered the greatest contemporary dramatist.

Spanish America produced some writers during the colonial period, but her most important authors belong to the period since her independence. Rubén Darío was the chief representative of the *modernista* movement in which both Spain and Spanish America participated. Its advocates sought beauty in style and thought, and often tried new forms of versification. Amado Nervo, one of

Mexico's great authors, wrote beautiful poetry, often with a strong religious trend, as well as short stories of Mexican life. Women writers, such as Gabriela Mistral, show pity for the weak and downtrodden. Other Latin American writers, like Ricardo Palma and Santos Chocano of Peru and some writers of Mexico, sought to revive interest in Indian history and legend. The gaucho poems of the Argentine gave permanent expression to many popular tales.

Spanish literature, whether in the mother country or in the New World, is one of the most colorful of literatures. It is individualistic as are the people who produce it, and each of the several races — Latin, Moorish, and Indian — has made its special contribution. Perhaps the most outstanding characteristic is its union of the idealistic with the realistic, best typified by the figure of that immortal knight of impossible ideals, Don Quijote, followed by his realistic peasant squire, Sancho Panza.

FIRST READINGS IN SPANISH LITERATURE

Poema de mío Cid

THE oldest literary work conserved in the Spanish
language is the *Poema de mío Cid*. Scholars place
the date of its composition by an unknown author
about the middle third of the twelfth century. Although
the highly idealized legendary figure of the Cid is much
better known than the historical character, we are told
that his real name was Ruy Díaz de Bivar, that he lived
from about 1040 to 1099, and that he won wide fame for
his exploits against the Moors who are said to have given
him the title of Cid, meaning lord and conqueror.

In the poem, which is characterized by a straight-
forward ruggedness of style and almost graphic vividness
of description, we read the success story of a medieval
baron. Stripped of his worldly possessions by the mach-
inations of his jealous enemies, and exiled by the king
to whom he is ever loyal, the Cid sets out with a little
band of faithful followers to win fame and riches by conquest, and to regain the favor of his sovereign. This
accomplished, he is faced with the even more exacting
and important task of defending his honor and that of
his two daughters against his cowardly and brutal sons-
in-law, the unworthy princes of Carrión. After the public
disgrace of the princes and the dissolution of the marriages,
the Cid's revenge is made complete by the fact that his
daughters are sought in marriage by the princes of Navarra
and Aragón, heirs of two of the great families of Spain.

[3]

A valiant warrior, a loyal subject, a clever but somewhat unscrupulous businessman, a generous conqueror, and a devoted if autocratic husband and father, the Cid represents the qualities admired by Christian Spaniards of the Middle Ages.

The selection given below, which is from the beginning of the poem as it has come down to us, tells of the Cid's banishment from his lands. The lines are in assonance; that is to say, the same vowel sounds recur in the last two syllables of each line of a stanza.

POEMA DE MÍO CID

I

De los sus ojos [1]   tan fuertemente llorando,
tornaba la cabeza   y estábalos catando.[2]
Vió puertas abiertas   y uzos [3] sin cañados,[4]
alcándaras [5] vacías   sin pieles y sin mantos [6]
5 y sin falcones   y sin azores mudados.[7]
Suspiró mío [8] Cid,   ca [9] mucho había grandes cuidados.
Habló mío Cid   bien y tan mesurado:
« grado a ti,[10] señor padre,   que estás en alto !
« Esto me han vuelto   míos enemigos malos. » [11]

II

10 Allí piensan de aguijar,[12]   allí sueltan las riendas.[13]
A la exida de Bivar [14]   hubieron la corneja diestra,[15]
y entrando a Burgos [16]   hubiéronla siniestra.[17]
Meció mío Cid los hombros [18]   y engrameó la tiesta [19]:
« albricia,[20] Alvar Fáñez,[21]   ca echados somos de tierra !
15 « mas a grand [22] honra   tornaremos a Castilla. »

III

Mío Cid Ruy Díaz   por Burgos entróve,[23]
en sue [24] compaña [25]   sesenta pendones [26];
exían lo ver [27]   mujeres y varones,
burgeses [28] y burgesas,   por las finiestras [29] sone,[30]
llorando de los ojos,   tanto habían el dolore.   5
De las sus bocas   todos decían una razone [31]:
« Dios, qué buen vasallo,   si hubiese buen señore! » [32] ...

1. (old form for *sus ojos*, "his eyes")   2. he was examining them
(Note that the pronoun object here follows the first verb.)   3. doors, gates
(archaic)   4. (old form for *candados*, "locks, bolts")   5. racks, perches
6. cloaks   7. moulted goshawks, falcons   8. (old form for *mi*)   9. because, for   10. thanks be to thee   11. This my wicked enemies have
done to me   12. they consider spurring on (the horses)   13. they let
go of their reins (permitting the horses to run at will)   14. On leaving
Bivar (the Cid's home)   15. they had the crow on the right hand (the
omen of good luck)   16. (a city in Castile belonging to the king who
had exiled the Cid)   17. on the left side (the sign of ill luck)   18. My
Cid shrugged his shoulders   19. shook his head (archaic form)   20. joy!
good news! (usually in the plural)   21. (the cousin of the Cid and his
companion in exile)   22. (old form for *gran*, "great")   23. entered
24. (old form for *su*)   25. company   26. standards, banners (repre-
senting the knights accompanying the Cid into exile)   27. they went
out to see him   28. bourgeois, citizens   29. windows (archaic)   30. (for
son)   31. they all made one remark   32. (Note that *entróve, sone, dolore,
razone, señore* each has an extra syllable for the sake of the versification.)

Juan Ruiz, arcipreste de Hita

VERY little is actually known of the life of Spain's greatest medieval poet, Juan Ruiz (1283?–1350?). He was probably born in Alcalá de Henares, although Guadalajara also claims him as a native son. He became archpriest of Hita, a town north of Madrid, and finally, from 1337 to 1350, was imprisoned for some unknown reason by the Archbishop of Toledo. Probably much of his writing was done during this time.

The fame of Juan Ruiz rests entirely on some seven thousand verses, loosely strung together, and ranging from songs in praise of the Virgin to most obscene parodies of church ritual. The stories and fables which he recounts are seldom original, but he somehow invests them with so much of his own personality and adds such a wealth of intimate detail that the reader is almost convinced that he was an eyewitness of the events related. As the title *El libro de buen amor* suggests, his avowed purpose in writing the book was to show by contrast the superiority of spiritual love, "buen amor," over earthly love. All this is in keeping with his position as guardian of public morals, and under the guise of teaching by horrible example, he tells with evident zest various amorous episodes. Staunch supporters have been found for both sides of the question of whether or not Juan Ruiz actually led the life which his first-person account leads one to believe. His verse form as well as his subject matter is varied, and his work reveals a sure craftsmanship combined with a disarming spontaneity. He has produced at least one character, his go-between picturesquely called Trotaconventos, who has become classic in Spanish literature and who has been developed still further in *La Ce-*

lestina, the only book to dispute with *El libro de buen amor* second place after the *Quijote* among the great books of Spain.

From the self-revelation of his book, we can with some certainty characterize the archpriest as broad-minded, mocking, and, above all, tolerant of human frailty. Here is a man eager for human experience, whether in the form of physical pleasures, artistic creation, or intellectual appreciation. He meets life with an unrestrained exuberance and a broad interest in human beings, whether they be farmers, blind men, Moorish dancing girls, clerics, or hags. He is amused by everyone, but there is nothing of scorn or condescension about his amusement. He most nearly approaches bitterness in his diatribe against the misuse of money and the power it brings. A selection from this portion of the book follows.

LIBRO DE BUEN AMOR

(Ejemplo [1] de la propiedad que el dinero tiene)

Mucho hace el dinero, mucho es de amar [2]:
al torpe [3] hace bueno y hombre de prestar,[4]
hace correr al cojo [5] y al mudo hablar,
el que no tiene manos, dineros [6] quiere tomar.

Sea un hombre necio y rudo labrador,   5
los dineros le hacen hidalgo [7] y sabidor,[8]
cuanto más algo [9] tiene, tanto es de más valor;
el que non [10] ha [11] dineros, non es de sí señor.

Si tuvieres dineros, tendrás consolación,
placer y alegría y del papa [12] ración,[13]   10

[7]

comprarás paraíso,[14] ganarás salvación:
do [15] son muchos dineros, es mucha bendición.[16]

Yo ví allá en Roma do es la santidad,[17]
que todos al dinero le hacían humildad,[18]
5 gran honra le hacían con gran solemnidad:
todos a él se humillan como a la majestad. . . .

Hacía muchos clérigos [19] y muchos ordenados,
muchos monjes y monjas,[20] religiosos sagrados:
el dinero les daba por bien examinados [21];
10 a los pobres decían que non eran letrados.[22] . . .

El dinero quebranta [23] las cadenas dañosas,
tira cepos [24] y grillos,[25] presiones [26] peligrosas;
al que no da dineros, le echan las esposas [27]:
por todo el mundo hace cosas maravillosas.

15 Ví hacer maravillas a do él mucho usaba [28]:
muchos merecían muerte, que la vida les daba;
otros eran sin culpa, que luego los mataba:
muchas almas perdía; muchas almas salvaba.

Hace perder al pobre su casa y su viña [29];
20 sus muebles [30] y raíces [31] todo lo desaliña,[32]
por todo el mundo cunde [33] su sarna [34] y su tiña,[35]
do el dinero juzga, allí el ojo guiña.[36]

Él hace caballeros de necios aldeanos,[37]
condes y ricos hombres [38] de algunos villanos [39];
25 con el dinero andan todos hombres lozanos,[40]
cuantos son en el mundo, le besan hoy las manos. . . .

[8]

En suma te lo digo, tómalo tú mejor [41]:
el dinero, del mundo es gran revolvedor,[42]
señor hace del siervo [43] y del siervo señor,
toda cosa del siglo se hace por su amor.

1. tale with a moral   2. to be loved   3. infamous, stupid person
4. useful person, moneylender   5. lame man   6. (Note that *dinero* is
more commonly used in the singular in modern Spanish.)   7. nobleman
8. (popular term for one who knows a great deal)   9. money, wealth
10. (old form for *no*)   11. (used often in old Spanish for *tiene*)   12. Pope
13. allowance   14. paradise   15. (old form for *donde*)   16. blessing
17. sanctity, holiness (because Rome is the center of Catholicism)
18. that all humbled themselves before money   19. clergymen   20. monks
and nuns   21. money made them highly considered   22. learned, well
educated   23. bursts open   24. stocks (used for punishment)   25. fetters, shackles   26. (old form for *prisiones*, "chains")   27. handcuffs
28. wherever it was much in use   29. vineyard   30. movable property
31. landed property, real estate   32. disorders, disarranges   33. spreads
34. itch, mange   35. ringworm of the scalp   36. winks (*i.e.*, anything
wrong is overlooked)   37. villagers, rustics   38. grandees, nobles of
high rank   39. peasants, villains   40. spirited, sprightly   41. take it
for the best, profit by it   42. agitator, disturber   43. servant, serf

El marqués de Santillana

Íñigo López de Mendoza, marquis of Santillana (1398–
1458), was a powerful nobleman who turned from the
responsibilities of state to literature as an avocation.
When he was orphaned at an early age, grasping barons
succeeded in robbing him of most of his father's vast
holdings. By the time the marquis was eighteen, however, he had regained most of his possessions and was
playing a man's part in the civil and military life of his
country. He held commands against the Navarrese and
the Moors and distinguished himself for his personal
bravery, but during his lifetime he was even more famous as a literary figure. Many foreigners made the
trip to Spain for the express purpose of seeing and talk-
ing to the marquis of Santillana. The last three years
of his life, following the death of his wife and the pil-
grimage which he then made, were spent in semi-retire-
ment.

Here is a man at once typical of his age and in advance
of it. He heralds the Renaissance by his interest in the
classics and in foreign literatures, yet it is in the simple,
graceful pastorals inspired by folk songs, rather than in
the complicated Italian forms which he introduced into
Spain, that he is at his best. He likewise knew and was
influenced by the Provençal poetry of southern France,
and his sonnets modeled after those of the Italian Petrarch
were probably the first in the Spanish language. His social position gave him access to all the literary and intellectual resources of the kingdom, and he availed himself
of them. One of the earliest Spanish critics, he believed
in the importance of form over content, and was himself
a gifted versifier. He is credited with being the author

of one of the oldest collections of popular proverbs in Spain.

The poem which follows is famous for its graceful rhythm and represents the lightly natural rather than the artificially imitative side of his writing. A *serranilla* is a mountain song in which the country maiden usually scorns the advances of the noble.

SERRANILLA SEXTA

Moza tan hermosa
no ví en la frontera,
como una vaquera [1]
de la Finojosa.[2]

Haciendo la vía [3]   5
de Calatraveño
a Santa María,[4]
vencido del sueño
por tierra fragosa,[5]
perdí la carrera   10
do [6] ví la vaquera
de la Finojosa.

En un verde prado [7]
de rosas y flores,
guardando ganado [8]   15
con otros pastores,[9]
la ví tan graciosa
que apenas creyera
que fuese vaquera
de la Finojosa.   20

[11]

No creo, las rosas
de la primavera [10]
sean tan hermosas,
ni de tal manera,
5   hablando sin glosa,[11]
si antes supiera
de aquella vaquera
de la Finojosa.

No tanto mirara
10 su mucha beldad,[12]
porque me dejara
en mi libertad.
Mas dije: — Donosa [13]
(por saber quien era),
15 ¿ dónde es la vaquera
de la Finojosa ?

Bien como riendo
dijo: — Bien vengades [14]:
que ya bien entiendo
20 lo que demandades [15]:
non es deseosa [16]
de amar, ni lo espera,
aquesa [17] vaquera
de la Finojosa.

1. cowgirl 2. (There are various towns in Spain called Finojosa or, in the modern form, Hinojosa.) 3. going along the road 4. (Calatraveño is probably Calatrava in the province of Ciudad Real, south-central Spain. There are many places in Spain by the name of Santa María.) 5. rough 6. (old form for *donde*) 7. pasture 8. cattle 9. shepherds 10. springtime 11. speaking plainly 12. beauty 13. Fair maid 14. (old form for *vengáis*, "may you be welcome") 15. (old form for *demandáis*) 16. desirous 17. (old form for *esa*)

Fernando de Rojas

ALTHOUGH there is some doubt about the authorship of the first and last acts of *La Celestina*, it is generally agreed that the body of this novel in dramatic form is the work of Fernando de Rojas, a converted Jew who studied law at Salamanca and practiced at Talavera, where he died sometime about 1538. The book was first published in 1499 and was received with such acclamation that it went through sixty-six editions in the sixteenth century alone and was translated into Italian, French, English, and German.

The story deals with the all-consuming passion of Calisto, a young nobleman, for Melibea, a naïvely lovely girl of even higher station. Through his conniving valets, Calisto negotiates with Celestina, a clever and unprincipled hag, to act as go-between, and the three of them carry his suit to a successful conclusion. Calisto's two servants, Sempronio and Pármeno, quarrel with Celestina over the division of the reward, however, and the latter is killed. The two murderers are captured and summarily executed. Calisto is the next victim of tragedy when he falls from a ladder as he is leaving Melibea, and on his death Melibea hurls herself from a tower after confessing her love to her heartbroken parents.

The book is a realistic portrayal of human experience written in language that is at once comparable to that of Shakespeare in its lofty eloquence and in its colloquial color and richness. Fernando de Rojas was particularly skilled in fitting conversation to his characters according to their station, although the personages he draws from the lower class are usually considered more natural. In the passage which follows, Calisto's two servants and their

[13]

paramours, Elicia and Areusa, are having dinner with
Celestina in celebration of the continued success of their
project. Their conversation is interesting not only because it is so timelessly human, but also for the advanced
ideas of social equality and individual importance expressed in this late medieval age.

LA CELESTINA

SEMPRONIO. ... ¡Comiendo y hablando! Porque
después no habrá tiempo para entender en los amores de
este perdido de nuestro amo,[1] y de aquella graciosa y
gentil [2] Melibea.

5 ELICIA. ¡Apártateme allá, desabrido,[3] enojoso! [4] ¡Mal
provecho te haga lo que comes! ,[5] tal comida me has
dado.... ¡Mirad quién gentil! ¡Jesús, Jesús! ¡Qué
hastío [6] y enojo es ver tu poca vergüenza! ¿A quién
gentil? Mal me haga Dios si ella lo es ni tiene parte de
10 ello; sino que hay ojos que de lagaña se agradan.[7] Santi-
guarme [8] quiero de tu necedad [9] y poco conocimiento....
¿Gentil es Melibea? ... Aquella hermosura por una
moneda [10] se compra de la tienda. Por cierto, que conozco
yo en la calle donde ella vive cuatro doncellas,[11] en quien
15 Dios más repartió su gracia que no en Melibea [12]; que si
algo tiene de hermosura es por buenos atavíos [13] que

---

1. of this misguided master of ours   2. genteel, exquisite   3. Get far
away from me, disagreeable one !   4. offensive person   5. May what you
eat give you no benefit ! (The polite remark on sitting down to a meal
would be *buen provecho*.)   6. disgust   7. except that there are eyes which
are pleasing for blearedness (ironical)   8. to cross myself (for protection)
9. stupidity   10. coin   11. young ladies   12. to whom God distributed
His grace more than to Melibea   13. clothes, finery

trae. . . . Por mi vida, que no lo digo por alabarme [1];
mas creo que soy tan hermosa como vuestra Melibea.

AREUSA. . . . Dios me lo demande, si en ayunas [2] la
topases,[3] si aquel día pudieses comer de asco.[4] Todo el
año se está encerrada con mudas [5] de mil suciedades.[6]
Por una vez que haya de salir donde pueda ser vista,
enviste [7] su cara con hiel [8] y miel [9] . . . y con otras cosas
que por reverencia de [10] la mesa dejo de decir. Las riquezas las hacen a éstas hermosas y ser alabadas, que no
las gracias de su cuerpo. . . . No sé qué se ha visto Calisto,
porque deja de amar otras que más ligeramente podría
tener, y con quien más él holgase [11]; sino que el gusto
dañado [12] muchas veces juzga por dulce lo amargo.

SEMPRONIO. Hermana,[13] . . . lo contrario de eso se
suena por la ciudad.

AREUSA. Ninguna cosa es más lejos de verdad que la
vulgar opinión. . . . Porque éstas son conclusiones verda-
deras, que cualquier cosa que el vulgo [14] piensa es vanidad;
lo que habla, falsedad; lo que reprueba [15] es bondad; lo
que aprueba, maldad. Y pues éste es su más cierto uso
y costumbre, no juzgues la bondad y hermosura de Melibea por eso ser la que afirmas.

SEMPRONIO. Señora, el vulgo parlero [16] no perdona las
tachas [17] de sus señores y así yo creo que si alguna tuviese
Melibea, ya sería descubierta de los que con ella más que
con nosotros tratan. Y aunque lo que dices concediese,
Calisto es caballero, Melibea hidalga [18]; así que los naci-

1. to praise myself   2. before eating breakfast, unexpectedly   3. you
should meet her by chance   4. nausea, loathing   5. cosmetics   6. muck,
filthiness   7. she covers   8. gall   9. honey   10. out of respect for
11. might amuse himself   12. taste which has been injured   13. (Areusa
is not really related to Sempronio.)   14. common people   15. condemns
16. talkative   17. defects   18. noblewoman

dos por linaje escogido [1] se buscan unos a otros. Por ende [2] no es de maravillar que ame antes a ésta que a otra.

AREUSA.   Ruin sea quien por ruin se tiene.[3] Las obras
5 hacen linaje que al fin todos somos hijos de Adán y Eva. Procure de ser cada uno bueno por sí, y no vaya a buscar en la nobleza de sus pasados la virtud.

CELESTINA.   Hijos, por mi vida que cesen esas razones de enojo; y tú, Elicia, que te tornes a la mesa y dejes esos
10 enojos.

ELICIA.   ...¿Había yo de comer con ese malvado,[4] que en mi cara me ha porfiado [5] que es más gentil su andrajo de Melibea,[6] que yo?

SEMPRONIO.   Calla, mi vida,[7] que tú la comparaste;
15 toda comparación es odiosa; tú tienes la culpa y no yo.

AREUSA.   Ven, hermana, a comer; no hagas ahora ese placer a estos locos porfiados; si no, he de levantarme de la mesa.

ELICIA.   Necesidad de complacerte me hace contentar
20 a ese enemigo mío, y usar de virtud con todos.

SEMPRONIO.   ¡He! ¡he! ¡he!

ELICIA.   ¿De qué te ríes? ¡De mal cáncer sea comida esa boca desgraciada, enojosa!

CELESTINA.   No le respondas, hijo; si no, nunca aca-
25 baremos. Entendamos en lo que hace a nuestro caso. Decidme; ¿cómo quedó Calisto? ¿Cómo le dejasteis?

— *El acto noveno*

1. born of select lineage   2. Therefore   3. May whosoever considers himself vile be judged as such! (The *Celestina* contains many proverbial expressions such as this one.)   4. villain   5. has insisted   6. rag of a Melibea   7. (used as a term of endearment)

Romances

THE *romance* is perhaps the most characteristically Spanish of all literary forms and is found wherever Spanish people are gathered together. While some *romances* are old enough to be folk retellings of epic poems, others are artificial and may relate events which are historical, legendary, or contemporary. Like the English ballad, to which it may be compared, the *romance* is characterized by objectivity, condensation, and epic tone. While some *romances* are earlier, their written form probably does not precede 1500. The first well-known collection was published in 1550. *Romances* may be divided into three general classes: the historic-legendary type, dealing with some national hero of the past; the border ballad, treating deeds contemporary to the time in which it was written, such as the struggles between the Moors and the Christians; and the erudite or artistic *romance*, composed at a later date and losing in vigor what it gained in colorful description.

The *romance* given below is one of the most popular of the border ballads. It tells how Juan II of Castilla, who in 1431 won the battle of La Higuera and viewed the Moorish city of Granada from the Sierra Elvira, questions the Moor Abenámar about the beauties of the city and its palace, the Alhambra.[1] The king woos Granada as a beautiful woman but is rejected. The typical *romance* versification has eight syllables to the line with the accent on the seventh syllable. The even-numbered lines have assonance in the vowels of the last two syllables. In this poem, the vowels producing the assonance are *í* and *a*.

1. Romera-Navarro, *Antología de la literatura española*, p. 43.

ROMANCE DE ABENÁMAR

¡ Abenámar, Abenámar,
moro de la morería,[1]
el día que tú naciste
grandes señales había !
5   Estaba la mar en calma,
la luna estaba crecida:
moro que en tal signo nace,
no debe decir mentira. —
Allí respondiera [2] el moro,
10   bien oiréis lo que decía:
— Yo te la diré, señor,
aunque me cueste la vida,
porque soy hijo de un moro
y una cristiana cautiva [3];
15   siendo yo niño y muchacho
mi madre me lo decía:
que mentira no dijese,
que era grande [4] villanía [5]:
por tanto pregunta, rey,
20   que la verdad te diría.
— Yo te agradezco, Abenámar
aquesa [6] tu cortesía.[7]
¿ Qué castillos [8] son aquéllos?
¡ Altos son y relucían ! [9]
25   — El Alhambra [10] era, señor,
y la otra la mezquita [11];
los otros los Alixares,[12]
labrados [13] a maravilla.[14]
El moro que los labraba
30   cien doblas [15] ganaba al día,

[18]

y el día que no los labra
otras tantas se perdía.
El otro es Generalife,[16]
huerta que par no tenía;
el otro Torres Bermejas,[17]   5
castillo de gran valía.[18] —
Allí habló el rey don Juan,
bien oiréis lo que decía:
— Si tú quisieses, Granada,
contigo me casaría;   10
daréte en arras[19] y dote[20]
a Córdoba y a Sevilla.[21]
— Casada soy, rey don Juan,
casada soy, que no viuda[22];
el moro que a mí me tiene   15
muy grande bien me quería.[23]

1. Moor of the Moorish lands   2. (old form for *respondió*)   3. captive
4. (*grande* is used instead of *gran* in order that the line may have eight
syllables.)   5. wickedness   6. (old form for *esa*)   7. courtesy   8. castles
9. glittered   10. (the palace and fortification of the Moors at Granada,
surrendered to Ferdinand and Isabel in 1492; modern form, La Alhambra)
11. mosque (a Mohammedan place of worship)   12. (a palace, now
destroyed, which was near the Alhambra)   13. constructed, carved
14. marvelously   15. (ancient Spanish gold coins)   16. (the summer
palace of the Moorish kings near Granada)   17. (a castle southwest of
the Alhambra and near the city of Granada)   18. value   19. (money
given by the bridegroom to the bride upon marriage)   20. dowry
21. (famous cities in southern Spain which once belonged to the Moors
but had been taken by the Christians)   22. widow   23. loved me very
well   (Note that Granada prefers the Moorish to the Christian rule.)

Lazarillo de Tormes

THE *pícaro*, or rogue, is the product of a disturbed and unstable social and economic system. Huge fortunes were being made overnight in America and squandered in Spain, where the wealthy became the prey of the unscrupulous from all walks of life. Uninhibited by moral qualms or social convention, the *pícaro* lives by his wits at the expense of others. Driven by want, he is an unsentimental migrant who takes hard knocks with a fortitude equaled only by the energy with which he dispenses them.

The earliest known editions of the first picaresque novel appeared in 1554, but the work was probably known in some form before that date. Published anonymously, it has been ascribed to various writers, but the identity of its author has never been proved.

The rather brief story is a first-person account of the adventures of Lazarillo, a boy from the lowest class of society, as he becomes a servant, in turn, to a cruel blind man, an avaricious priest, an impoverished nobleman, a friar, an indulgence seller, a chaplain, and a constable. He finally achieves relative prosperity and respectability in the position of town crier of Toledo. Although the book is written in a genial, good-humored vein, its satire is nevertheless effective. The fact that it went through various editions and translations is proof that the reading public of the day found its acutely realistic observations and concise, clean-cut style a refreshing change from the extravagantly idealized romances of chivalry to which they were accustomed.

Lazarillo's difficulties with his second master, the miserly priest, are described in the selection which follows.

LAZARILLO DE TORMES

(Cómo Lázaro se asentó[1] con un clérigo[2] y de las cosas que con él pasó.)

Al otro día . . . me fuí a un lugar adonde mis pecados me hicieron encontrar a un clérigo que . . . me preguntó si sabía ayudar a misa. Yo dije que sí, como era verdad. Que aunque maltratado,[3] mil cosas buenas me mostró el pecador del ciego[4] y una de ellas fué ésta. Finalmente, el [5] clérigo me recibió por suyo.

Escapé del trueno y dí en el relámpago,[5] porque era el ciego para con[6] éste un Alejandro Magno,[7] con ser la misma avaricia.[8] . . .

Él tenía una arca[9] vieja y cerrada con su llave. . . . [10] Y en toda la casa no había ninguna cosa que comer, como suele estar en otras. . . . Solamente había una horca de cebollas[10] tras la llave de una cámara[11] en lo alto de la casa. De éstas tenía yo de ración[12] una para cada cuatro días y cuando le pedía la llave para ir por ella, si alguno [15] estaba presente . . ., me la daba diciendo:

« Toma y vuélvela luego y no golosinees. »[13] Como si debajo de ella estuvieran todas las conservas[14] de Valencia.[15] . . .

Finalmente, yo me moría de hambre. Pues, ya que[16] [20] conmigo tenía poca caridad, consigo usaba más. Cinco

1. established himself   2. clergyman, cleric   3. abused, mistreated
4. the sinner of a blind man   5. I escaped from the thunder and en-
countered the lightning (The phrase means "to go from bad to worse.")
6. compared with   7. Alexander the Great (often a model of generosity
in medieval stories)   8. notwithstanding his being miserliness itself
9. chest   10. string of onions   11. under lock in a chamber   12. as an
allowance   13. don't eat too many dainties   14. preserves   15. (Mediterranean region of Spain, famous for its fruits)   16. since

blancas [1] de carne era su ordinario para comer y cenar.[2]
Verdad es que partía conmigo el caldo.[3] . . .

Los sábados se comen en esta tierra cabezas de carnero [4]
y me enviaba por una, que costaba tres maravedís.[5]
5 Aquélla la cocía y comía . . . la carne y me daba todos los
huesos roídos.[6] Y me los daba en el plato, diciendo:
« Toma, come, triunfa, que para ti es el mundo. Mejor
vida tienes que el papa. » [7] . . .

Al cabo de tres semanas, que estuve con él, vine a tanta
10 flaqueza,[8] que no me podía tener en las piernas [9] de pura
hambre. Me ví claramente ir a la sepultura,[10] si Dios y
mi saber no me remediaran.[11] . . .

Cuando al ofertorio [12] estábamos, ninguna blanca en la
concha [13] caía que no era de él registrada.[14] Un ojo tenía
15 en la gente [15] y el otro en mis manos. . . . No era yo señor
de asirle [16] una blanca todo el tiempo que con él viví o,
por mejor decir, morí. . . .

Pensé muchas veces irme de aquel mezquino [17] amo; mas
por dos cosas lo dejaba. La primera, por no atreverme a
20 mis piernas, por temor de la flaqueza, que de pura hambre
me venía. Y la otra, consideraba y decía:

« Yo he tenido dos amos: el primero me traía muerto
de hambre y dejándole me encontré con este otro, que me
tiene ya con ella [18] en la sepultura: pues, si de éste desisto [19]
25 y doy en otro más bajo, ¿ qué será sino morir ? . . . »

Un día que mi amo había ido fuera del lugar, llegó a mi

1. (old Spanish copper coin, similar to the United States cent) 2. for
eating dinner and supper 3. broth 4. sheep 5. (small, old Spanish
coins) 6. gnawed 7. Pope 8. weakness 9. I could not stand 10. to
go to the tomb, i.e., to die 11. did not help me 12. offertory (part of
the church service when the collection is taken) 13. shell (used for
taking the collection) 14. recorded (mentally) 15. he had one eye
on the people 16. I was not master enough (of the situation) to seize
from him 17. stingy 18. it (referring to hunger) 19. leave, abandon
this one

puerta un calderero,[1] el cual yo creo que fué ángel enviado
a mí por la mano de Dios en aquel hábito.[2] Me preguntó
si tenía algo que arreglar. . . . Le dije:

« Tío, una llave de esta arca he perdido y temo que mi
señor me azote.[3] Por vuestra vida, ved si en ésas,[4] que 5
traéis, hay alguna que lo haga, que yo os lo pagaré. »

Comenzó a probar el angélico calderero una y otra de
un gran sartal,[5] que de ellas traía, y yo ayudarle con mis
flacas [6] oraciones. . . . Y abierta, le dije:

« Yo no tengo dinero que daros por la llave; mas tomad 10
de allí el pago. » [7]

El tomó un bodigo [8] de aquéllos, el que mejor le pareció, y dándome mi llave, se fué muy contento, dejándome
más a mí. . . .

Y así estuve . . . aquel día y otro gozoso. Mas no era 15
mi dicha que me durase mucho aquel descanso, porque
luego al tercer día fué que ví a deshora [9] al que me mataba
de hambre sobre nuestra arca, volviendo y revolviendo,
contando y volviendo a contar los panes. Yo disimulaba [10]
y en mi secreta oración y devociones decía: 20

« ¡ San Juan, ciégale ! » [11]

Después que estuvo un gran rato echando la cuenta,[12] . . .
dijo:

« Si no tuviera a tan buen recaudo [13] esta arca, yo dijera
que me habían tomado de ella panes; pero de hoy en 25
adelante, sólo por cerrar la puerta a la sospecha,[14] quiero
tener buena cuenta con ellos. Nueve quedan y un pedazo ». . . .

1. tinker, coppersmith   2. dress, disguise   3. will whip me   4. *i.e.*,
the keys   5. bunch of keys   6. weak   7. payment   8. loaf of white
bread (used in church sacrament)   9. at an inconvenient time, unfortunately   10. pretended (not to notice)   11. blind him   (San Juan was
the saint most often invoked by servants.)   12. counting, reckoning
13. well guarded   14. suspicion

Salió fuera de casa. Yo por consolarme abrí el arca y, como ví el pan, comencé a adorarlo. . . .

Mas, al crecer el hambre, moría mala muerte, tanto que otra cosa no hacía en viéndome solo sino abrir y cerrar el
5 arca. . . . Mas el mismo Dios, que socorre [1] a los afligidos, viéndome en tal estrecho, trajo a mi memoria un pequeño remedio, que considerando entre mí, dije:

« Esta arca es vieja y grande y rota por algunas partes; aunque pequeños agujeros.[2] Se puede pensar que rato-
10 nes [3] entrando en él hacen daño a este pan. . . .»

Y comienzo a desmigajar [4] el pan sobre unos no muy costosos [5] manteles,[6] que allí estaban, y tomo uno y dejo otro, de manera que en cada cual de tres o cuatro desmigajé su poco. Después, lo comí y algo me consolé. Mas
15 él, cuando vino a comer y abrió el arca, vió el mal pesar y sin duda creyó ser ratones los que el daño habían hecho. . . . Miró todo el arca de un cabo a otro y vió ciertos agujeros por donde sospechaba que habían entrado. Me llamó, diciendo:

« ¡ Lázaro ! ¡ mira ! ¡ mira qué persecución ha venido
20 esta noche por nuestro pan ! »

Yo me hice muy maravillado,[7] preguntándole qué sería.

« ¡ Qué ha de ser ! dijo él. Ratones, que no dejan cosa a vida. »

Nos pusimos a comer y quiso Dios que aun en esto me
25 fuese bien,[8] . . . porque rayó [9] con un cuchillo todo lo que pensó ser ratonado,[10] diciendo:

« Cómete eso, que el ratón cosa limpia es. »

Y así aquel día, añadiendo la ración del trabajo de mis manos o de mis uñas,[11] por mejor decir, acabamos de co-
30 mer; aunque yo nunca empezaba.[12]

1. helps   2. holes   3. mice   4. crumble   5. expensive   6. table-cloths   7. surprised   8. even in this it should go well with me   9. scraped   10. gnawed   11. fingernails   12. although I never began, *i.e.*, my hunger never began to be satisfied

Y luego me vino otro sobresalto,[1] que fué verle andar
solícito,[2] quitando clavos [3] de las paredes y buscando
tablillas,[4] con las cuales clavó y cerró todos los agujeros
de la vieja arca. . . .

Cuando salió de casa, fuí a ver la obra y hallé que no [5]
dejó en la triste y vieja arca agujero, ni aun por donde le
pudiese entrar un mosquito. . . . Como la necesidad es
tan gran maestra, viéndome con tanta siempre,[5] noche y
día estaba pensando la manera que tendría en sustentar
el vivir.[6] . . .

Pues, estando una noche desvelado [7] en este pensamiento, . . . sentí que mi amo dormía, porque lo mostraba
con roncar [8] y en unos resoplos [9] grandes que daba cuando
estaba durmiendo. Me levanté muy quedito[10] y, habiendo
en el día pensado lo que había de hacer y dejado un cuchillo [15]
viejo, que por allí andaba,[11] en parte donde lo hallase, me
fuí al arca triste y por donde había mirado tener menos
defensa la acometí [12] con el cuchillo. . . . La antiquísima [13]
arca, por ser de tantos años,[14] . . . se me rindió y consintió
en su costado [15] por mi remedio un buen agujero. Esto [20]
hecho, abrí muy paso el arca y, al tiento del pan,[16] que
hallé partido,[17] hice según arriba está escrito. Y con
aquello, algún tanto consolado, después de cerrar, me volví
a mis pajas [18] en las cuales reposé y dormí un poco. . . .

Otro día fué visto el daño por el señor mi amo, así del [25]
pan como del agujero, que yo había hecho, y comenzó a
dar al diablo los ratones y decir:

« ¿ Qué diremos a esto ? ¡ Nunca haber sentido ratones
en esta casa, sino ahora ! »

1. startling surprise   2. solicitously, carefully   3. nails   4. pieces
of board   5. seeing myself with so much (need) always   6. in sustaining
life   7. lying awake   8. snoring   9. audible breaths, snorts   10. quietly
11. that was around there   12. I attacked   13. very old   14. because
of being so old   15. surrendered itself to me and permitted in its side
16. on feeling the bread   17. broken   18. straw (for bed)

Y sin duda debía de decir verdad, porque, si casa había de haber en el reino justamente de ellos privilegiada,[1] aquélla de razón había de ser porque no suelen morar[2] donde no hay que comer.[3] Vuelve a buscar clavos por la 5 casa y por las paredes y tablillas y a tapárselos.[4] Venida la noche y su reposo, luego era yo puesto en pie con mi aparejo[5] y, cuantos él tapaba de día, destapaba yo[6] de noche. . . .

Cuando vió que no le aprovechaba nada su remedio, 10 dijo:

« Esta arca está tan maltratada y es de madera[7] tan vieja y flaca, que no habrá ratón de quien se defienda. . . . El mejor remedio, que hallo, pues el de hasta aquí no aprovecha, es armar trampa[8] por dentro a estos ratones 15 malditos. »

Luego buscó prestada una ratonera[9] y con cortezas[10] de queso,[11] que a los vecinos pedía, de continuo[12] la ratonera estaba armada dentro del arca. Lo cual era para mí singular auxilio. Porque . . . me holgaba[13] con las cortezas 20 del queso, que de la ratonera sacaba. . . .

Como hallaba el pan ratonado y el queso comido y no caía el ratón que lo comía,[14] preguntaba a los vecinos: « ¿ Qué podría ser, comer el queso y sacarlo de la ratonera y no caer ni quedar dentro el ratón y hallar caída la 25 trampilla[15] de la ratonera ? »

Acordaron los vecinos no ser el ratón el que este daño hacía. . . . Le dijo un vecino:

« En vuestra casa yo me acuerdo que solía andar una culebra[16] y ésta debe ser sin duda. . . . »

1. justly privileged from them   2. to dwell   3. there is nothing to eat   4. to cover them up   5. equipment   6. I uncovered   7. wood 8. to set a trap   9. mousetrap   10. rinds   11. cheese   12. continually 13. I satisfied myself   14. and the mouse that was eating it did not fall into the trap   15. spring trap   16. snake

Les pareció bien a todos lo que aquél dijo y alteró mucho a mi amo y . . . en adelante no dormía tan a sueño suelto.[1] Que cualquier gusano[2] de la madera, que de noche sonase, pensaba ser la culebra, que le roía[3] el arca. Luego era puesto en pie y con un garrote,[4] que ponía a la cabecera[5] desde que aquello le dijeron, daba en la pecadora del arca grandes garrotazos,[6] pensando espantar[7] la culebra. A los vecinos despertaba con el estruendo[8] que hacía, y a mí no dejaba dormir. . . .

Por la mañana me decía él:

« Esta noche, mozo, ¿ no sentiste nada? Pues tras la culebra anduve y aun pienso se ha de ir para ti a la cama, que son muy frías y buscan calor. »

« Plega a Dios que no me muerda,[9] decía yo, que harto miedo le tengo. » . . .

Yo tuve miedo que con aquellas diligencias no me hallase con la llave, que debajo de las pajas tenía, y me pareció lo más seguro meterla de noche en la boca. Porque ya desde que viví con el ciego, la tenía tan hecha bolsa,[10] que me acaeció[11] tener en ella doce o quince maravedís, todo en medias blancas, sin que me estorbasen[12] el comer. . . .

Pues, así como digo, metía cada noche la llave en la boca y dormía sin recelo[13] que el brujo de mi amo[14] cayese con[15] ella. . . . Quisieron mis hados,[16] o por mejor decir, mis pecados, que una noche que estaba durmiendo, la llave se me puso en la boca, que abierta debía de tener, de tal manera y postura,[17] que el aire y resoplo, que yo durmiendo echaba, salía por lo hueco[18] de la llave, que de cañuto

1. he did not sleep so soundly 2. worm 3. was gnawing 4. club, stick 5. head of bed 6. blows 7. to frighten 8. clamor 9. May it please God that it may not bite me! (*Plega* is one form of the present subjunctive of *placer*.) 10. I had made it (the mouth) a purse to such an extent 11. happened 12. without their hindering 13. fear 14. my wizard of a master 15. might discover 16. fate 17. position 18. the hollow part

era,[1] y silbaba,[2] según mi desastre quiso, muy recio,[3] de tal manera que el sobresaltado de mi amo [4] lo oyó y creyó sin duda ser el silbo [5] de la culebra y cierto lo debía parecer.

Se levantó muy calladamente con su garrote en la mano, 5 y al tiento y sonido de la culebra se llegó a mí con mucha quietud, por no ser sentido de la culebra. Y como cerca se vió, pensó que allí en las pajas, donde yo estaba echado, al calor mío se había venido. Levantando bien el palo,[6] pensando tenerla debajo y darle tal garrotazo que la 10 matase, con toda su fuerza me descargó [7] en la cabeza un tan gran golpe, que sin ningún sentido y muy mal descalabrado [8] me dejó.

... Contaba él que se había llegado a mí y, dándome grandes voces, llamándome, procuró volverme el sentido. 15 Mas, como me tocó con las manos, tentó [9] la mucha sangre que se me iba, y conoció el daño, que me había hecho, y con mucha prisa fué a buscar lumbre.[10] Y llegando con ella, me halló quejándome, todavía con mi llave en la boca, que nunca la desamparé,[11] la mitad fuera, bien de aquella 20 manera que debía estar al tiempo que silbaba con ella.

Espantado [12] el matador [13] de culebras, qué podría ser aquella llave, la miró sacándomela del todo de la boca, y vió la que era.... Fué luego a probarla y con ella probó el maleficio.[14] Debió de decir el cruel cazador [15]: 25 « He hallado el ratón y culebra, que me daban guerra y me comían mi hacienda. » ...

Al cabo de tres días yo volví en mi sentido y me ví echado en mis pajas, la cabeza toda emplastada [16] y llena de aceites y ungüentos [17] y espantado dije:

1. which was like a small pipe (or tube)   2. was whistling   3. loud
4. my startled master   5. whistle   6. stick   7. he struck with violence
8. wounded in the head   9. he touched   10. light   11. abandoned
12. astonished   13. killer   14. evil trick   15. hunter   16. covered with
plasters   17. ointments, salve

« ¿ Qué es esto ? »

Me respondió el cruel sacerdote:

« A fe que los ratones y culebras, que me destruían, ya
los he cazado. »[1]

Y me miré y me ví tan maltratado, que luego sospeché 5
mi mal.

A esta hora entró una vieja . . . y los vecinos, y comenzaron a quitarme los trapos de la cabeza y curar el garrotazo.
Y como me hallaron vuelto en mi sentido, se holgaron
mucho. . . . 10

Allí tornaron de nuevo a contar mis cuitas[2] y a reírlas
y yo pecador a llorarlas. Con todo esto, me dieron de
comer, que estaba transido[3] de hambre y apenas me
pudieron satisfacer. Y así, de poco en poco, a los quince
días me levanté y estuve sin peligro (mas no sin hambre) 15
y medio sano.

Luego otro día, que fuí levantado, el señor mi amo me
tomó por la mano y me sacó fuera de la puerta, y puesto
en la calle me dijo:

« Lázaro, desde hoy más eres tuyo y no mío. Busca 20
amo y vete con Dios, que yo no quiero en mi compañía
tan diligente servidor.[4] No es posible sino que hayas sido
mozo de ciego. »

Y santiguándose[5] de mí, como si yo estuviera endemo-
niado,[6] volvió a meterse en casa y cerró su puerta. 25

— *Tratado segundo*

1. I have hunted   2. to tell my troubles   3. exhausted   4. servant
5. crossing himself (thus warding off the effect of the evil spell of Lazarillo)
6. possessed of the devil

Santa Teresa

THE early life of Teresa de Cepeda y Ahumada (1515–82) was so filled with spiritual longings that at nineteen she entered a Carmelite convent in Ávila, her home city. Not only did she become Mother Superior, but also she formed a new and stricter order of Carmelite nuns. In spite of ill health and the most severe opposition, she established not less than fifteen convents of this order.

For spiritual penetration and interpretation, Santa Teresa de Jesús, as she is now called, stands as one of the greatest figures the world has known. Moreover, combined with this lofty mysticism she had a fine common sense and most unusual administrative ability. She is said to have been equally good at embroidery, chess, and horsemanship, in addition to being a delightful conversationalist. She wrote at the command of her superiors, and her style is distinguished by simplicity, her language by words in daily conversational use among well-bred people, rather than by abstract, academic terms. Santa Teresa wrote very rapidly, as though divinely inspired.

Besides several books on religion, her writings include poems and many letters written not only to members of her family but also to various persons connected with the work of her order. These letters and her autobiography, usually called *El libro de su vida*, show the intimate life and thoughts of one of the most active women of her day. The prose selection given below is her own account of her childhood. *Letrilla* is a term used for a short poem, and Santa Teresa is said to have used the simple expression of faith given here as a bookmark in her prayer book.

LETRILLA

Nada te turbe;
nada te espante [1];
todo se pasa;
Dios no se muda,
la paciencia todo lo alcanza.   5
Quien a Dios tiene,
nada le falta.
Solo Dios basta.

1. may nothing frighten you

LIBRO DE SU VIDA

(Cuenta como pasó su primera edad)

Éramos tres hermanas y nueve hermanos; todos parecieron a sus padres, por la bondad de Dios, en ser virtuosos, si no fuí yo, aunque era la más querida de mi padre; y . . . me lastima cuando me acuerdo las buenas inclinaciones que el Señor [1] me había dado y cuán mal supe aprove-   5
charme de ellas.

Pues mis hermanos ninguna cosa me desayudaban [2] a servir a Dios. Tenía uno casi de mi edad: nos juntábamos entrambos [3] a leer vidas de santos — que era el que yo más quería,[4] aunque a todos tenía gran amor y ellos a   10
mí —; como veía los martirios [5] que por Dios las santas pasaban, me parecía que compraban muy barato [6] el ir a gozar de Dios, y deseaba yo mucho morir así; no por

1. the Lord   2. prevented me in no way   3. both of us   4. for he
was the one that I loved the most   5. martyrdom   6. cheap

[31]

amor que yo entendiese tenerle,[1] sino por gozar tan en
breve de los grandes bienes que leía haber en el cielo; y
me juntaba con este mi hermano a tratar qué medio
habría para esto. Concertábamos[2] irnos a tierra de
5 moros,[3] pidiendo por amor de Dios, para que allá nos
descabezasen[4]; y me parece que nos daba el Señor ánimo
en tan tierna edad, si viéramos algún medio, sino que el
tener padres nos parecía el mayor embarazo.[5] Nos es-
pantaba[6] mucho el decir que pena y gloria era para
10 siempre[7] en lo que leíamos. Nos acaecía estar muchos
ratos tratando de esto[8]; y gustábamos decir muchas
veces: « para siempre, siempre, siempre ». En pronunciar
esto mucho rato, era el Señor servido que me quedase en
esta niñez imprimido el camino de la verdad.[9]

15 De que ví que era imposible ir adonde me matasen por
Dios, ordenábamos ser ermitaños,[10] y en una huerta que
había en casa procurábamos, como podíamos, hacer ermi-
tas,[11] poniendo unas piedrecillas, que luego se nos caían. . . .
Hacía limosna[12] como podía, y podía poco. Procuraba
20 soledad para rezar mis devociones,[13] que eran hartas, en
especial el rosario,[14] de que mi madre era muy devota y
así nos hacía serlo. Gustaba mucho, cuando jugaba con
otras niñas, hacer monasterios, como que éramos monjas[15];
y yo[16] me parece que deseaba serlo, aunque no tanto como
25 las cosas que he dicho.[17]

1. not because of the love that I believed I had for Him   2. We
agreed   3. Moors   4. might cut off our heads (This was the children's
plan for winning a martyr's crown.)   5. obstacle, embarrassment   6. It
astonished us   7. (This was the children's first contact with the idea of
eternal reward and punishment.)   8. we often happened to discuss the
matter   9. that the road of truth should remain impressed upon me in
this, my childhood   10. hermits   11. hermitages   12. alms, charity
13. to say my prayers   14. rosary   15. nuns   16. (*yo* is the subject of
deseaba)   17. (Santa Teresa explains that while as a girl she wanted to
become a nun, she would have preferred being either a hermit or a martyr.)

Me acuerdo que, cuando murió mi madre, quedé yo de
edad de doce años poco menos; como yo comencé a entender lo que había perdido, afligida me fuí a una imagen
de Nuestra Señora y la supliqué que fuese mi madre, con
muchas lágrimas. Me parece que, aunque se hizo con 5
simpleza [1] que me ha valido; porque conocidamente [2]
he hallado a esta Virgen soberana en cuanto me he en-
comendado a ella,[3] y, en fin, me ha tornado a sí. . . .

Pues pasando de esta edad, que comencé a entender
las gracias de naturaleza, que el Señor me había dado, 10
que según decían eran muchas, cuando por ellas le había
de dar gracias, de todas me comencé a ayudar para ofen-
derle.[4] . . .

[Mi madre] era aficionada a [5] libros de caballerías,[6] y
no tan mal tomaba este pasatiempo, como yo lo tomé para 15
mí; porque no perdía su labor, sino nos desenvolvíamos [7]
para leer en ellos. . . . Esto le pesaba tanto a mi padre, que
se había de tener aviso [8] a que no lo viese. Yo comencé
a quedarme en costumbre de leerlos, y aquella pequeña
falta que en ella [9] ví, me comenzó a enfriar los deseos [10] y 20
comenzar a faltar en lo demás; y me parecía que no era
malo, con gastar muchas horas del día y de la noche en tan
vano ejercicio, aunque escondida de mi padre. Era tan en
extremo lo que en esto me embebía,[11] que si no tenía libro
nuevo no me parece que tenía contento. 25

— *Capítulo I*

1. naïvely, innocently   2. evidently, clearly   3. whenever I have
committed myself to her keeping   4. when I should have been giving
thanks to Him for them (my natural graces), I began to make use of all of
them to offend Him   5. was fond of   6. romances of chivalry (Books
about chivalry were popular in the sixteenth century and then took the
place of our modern novels.)   7. we neglected our duties   8. one had
to be careful   9. (*ella* refers to her mother)   10. began to cool my
eagerness (for goodness)   11. I was absorbed in this to such an extreme
degree

Cervantes

MIGUEL de Cervantes Saavedra (1547–1616), the Spaniard who has made himself most felt in world literature, was born at Alcalá de Henares in a family once socially prominent, but unfortunately then steadily declining in importance. Of his education we know little except that it was desultory and that he may have studied in Madrid and the University of Salamanca. In 1569 Cervantes went to Rome as chamberlain in the household of the Cardinal of Acquaviva. However, as early as the next year, this servile existence had apparently begun to pall; and for the next five years he fought with the Spanish forces, particularly distinguishing himself for bravery against the Turks in the sea battle of Lepanto, where he lost the use of his left hand. After his discharge, he embarked for Spain but was captured by Algerian pirates who, assuming from the letters of recommendation he carried that he was a man of great importance, kept him prisoner for five years while his family attempted to raise the almost impossibly high ransom. Meanwhile, Cervantes became acknowledged leader of the Christian prisoners for whom he unsuccessfully plotted escape five different times, always taking upon himself full responsibility for the attempts. The period which followed his return was one of financial struggle. Cervantes turned to writing plays which, though rather well received, failed to support him. He then became a tax collector traveling in Andalusia, but a slight irregularity in his accounts caused his imprisonment in Seville for three months. From 1598 to 1603 he had an unpleasant experience trying to collect rents for a monastery in La Mancha, a province in south-central Spain which is the setting for *Don Quijote*.

Before the publication of his famous novel, Cervantes had tried his hand at poetry, about thirty plays, and a six-volume, unfinished pastoral novel, *Galatea*, all with indifferent success. *Don Quijote*, in part a satire on the novels of chivalry which had so long been in vogue, met with immediate success, however. His idealistic knight, obsessed by the reading of too many of these books into thinking every encounter a challenge for his knighthood, and his realistic squire, Sancho Panza, are known in every country of the world. Only somewhat less renowned are his chosen lady, Dulcinea, and his horse, Rocinante, long-suffering companion of his adventures. The story told here is the famous one of Don Quijote's encounter with the windmills, which he mistakes for giants. Another important work of Cervantes is the *Novelas ejemplares*, twelve short tales which appeared in 1613. He also wrote well-known *entremeses*, farces which usually satirize contemporary character types.

Cervantes stands out among his countrymen not as the greatest thinker or literary stylist, but as the greatest humorist and humanitarian, as one whose amusedly ironic observation and great sympathy have struck a responsive chord in all nationalities, thus creating for him a world audience.

DON QUIJOTE

(Del buen suceso que el valeroso [1] Don Quijote tuvo en la espantable [2] y jamás imaginada aventura de los molinos de viento, [3] con otros sucesos dignos de felice [4] recordación [5])

En esto descubrieron treinta o cuarenta molinos de viento que hay en aquel campo; y así como Don Quijote

1. brave   2. frightful   3. windmills   4. (poetical form for *feliz*)
5. remembrance

los vió, dijo a su escudero [1]: la ventura va guiando nuestras cosas mejor de lo que acertáramos a desear; porque ves allí, amigo Sancho Panza, donde se descubren treinta o pocos más desaforados [2] gigantes,[3] con quien pienso
5 hacer batalla y quitarles a todos las vidas, con cuyos [4] despojos [5] comenzaremos a enriquecer; que ésta es buena guerra, y es gran servicio de Dios quitar tan mala simiente [6] de sobre la faz [7] de la tierra.

— ¿ Qué gigantes? dijo Sancho Panza.

10 — Aquellos que allí ves, respondió su amo, de los brazos largos, que los suelen tener algunos de casi dos leguas.[8]

— Mire vuestra merced, respondió Sancho, que aquellos que allí se parecen no son gigantes, sino molinos de viento, y lo que en ellos parecen brazos son las aspas,[9] que, vol-
15 teadas [10] del viento, hacen andar la piedra del molino.

— Bien parece, respondió Don Quijote, que no estás cursado [11] en esto de las aventuras: ellos son gigantes; y si tienes miedo, quítate de ahí y ponte en oración en el espacio que yo voy a entrar con ellos en fiera [12] y desigual batalla.

20 Y diciendo esto, dió de espuelas a [13] su caballo Rocinante, sin atender a las voces que su escudero Sancho le daba, advirtiéndole que sin duda alguna eran molinos de viento, y no gigantes, aquellos que iba a acometer.[14] Pero él iba tan puesto en que [15] eran gigantes, que ni oía las voces de
25 su escudero Sancho, ni echaba de ver,[16] aunque estaba ya bien cerca, lo que eran; antes iba diciendo en voces altas: « Non fuyades,[17] cobardes [18] y viles criaturas; que un solo caballero es el que os acomete. »

---

1. squire   2. huge   3. giants   4. whose   5. spoils of war   6. seed, race   7. face, surface   8. for they are accustomed to have some almost two leagues long   9. wings of a windmill   10. turned about   11. trained   12. fierce   13. spurred on   14. to attack   15. he was so determined that   16. did not notice   17. (old form for *no huyáis*, "do not flee")   18. cowardly

Levantóse en esto un poco de viento, y las grandes aspas comenzaron a moverse, lo cual visto por Don Quijote, dijo: « Pues aunque movéis más brazos que los del gigante Briareo,[1] me lo habéis de pagar. »

Y diciendo esto, y encomendándose [2] de todo cora- 5 zón a su señora Dulcinea, pidiéndole que en tal trance [3] le socorriese,[4] bien cubierto de su rodela,[5] con la lanza [6] en el ristre,[7] arremetió [8] a todo el galope de Rocinante, y embistió con [9] el primero molino que estaba delante; y dándole una lanzada en el aspa, la volvió el viento con 10 tanta furia, que hizo la lanza pedazos, llevándose tras sí al caballo y al caballero, que fué rodando muy maltrecho [10] por el campo. Acudió Sancho Panza a socorrerle a todo el correr de su asno,[11] y cuando llegó, halló que no se podía menear [12]: tal fué el golpe que dió con él Rocinante. 15

— ¡ Válame Dios ! [13] dijo Sancho: ¿ no dije yo a vuestra merced que mirase bien lo que hacía, que no eran sino molinos de viento? Y no lo podía ignorar sino quien llevase otros tales [14] en la cabeza.

— Calla, amigo Sancho, respondió Don Quijote; que 20 las cosas de la guerra más que otras están sujetas a con- tinua mudanza [15]; cuanto más que yo pienso, y es así verdad, que aquel sabio Frestón,[16] que me robó el aposento [17] y los libros, ha vuelto estos gigantes en molinos por qui- tarme la gloria de su vencimiento [18]: tal es la enemistad [19] 25 que me tiene; mas al cabo, al cabo han de poder poco sus malas artes contra la bondad de mi espada.

1. (a mythological giant who had a hundred arms)　2. committing himself to the protection of　3. critical situation　4. should help 5. round shield　6. lance　7. rest or socket for a lance　8. he attacked 9. rushed against　10. ill-treated　11. donkey　12. move　13. (old form for *válgame Dios*, ''May Heaven help me !'')　14. *i.e.*, windmills　15. change 16. (a magician, who, Don Quijote was told, had taken away his books on knightly chivalry, when they were actually destroyed by his family and friends)　17. room, apartment　18. conquest　19. enmity

— Dios lo haga como puede, respondió Sancho Panza; y ayudándole a levantar, tornó a subir sobre Rocinante, que medio despaldado ¹ estaba. . . .

— *Capítulo VIII*

1. with his shoulder half dislocated

Lope de Vega

A LITERARY figure who dominated his own generation to a far greater extent than did his famous contemporary, Cervantes, was Lope Félix de Vega Carpio (1562–1635), a genius so precocious that before he himself could write he used to bribe his young friends to take down his verses. His first play was written at the age of twelve and was presented for many years. He came of a family which occupied a modest social position, and he was educated first in a Jesuit school of Madrid, where he became accomplished in singing, dancing, and swordsmanship, and later at Alcalá de Henares where he studied for the clergy. An ill-timed love affair prevented his taking orders, and he was for a while private secretary to the Duke of Alba. Following a forced exile from Madrid he fought with the Armada, and returning home he married Isabel de Urbina, who died in 1595. In 1598 he contracted a second marriage of convenience with a butcher's daughter. A duel was the immediate cause of his second banishment from Madrid, and he took refuge in the households of various patrons. Upon the death of his second wife, Lope turned to religion and was ordained a priest. This did not effect any great change in his personal life, however, and his writing of secular drama continued.

Lope left almost no type of writing, prose or poetry, unattempted. His fame rests principally on his lyric poetry and his poetic drama, however. He was incredibly prolific, one of his contemporaries placing the number of his longer plays at eighteen hundred in addition to four hundred *autos sacramentales*, religious plays for Corpus Christi day. Of the former about four hundred have come down to us, together with forty of the latter. Needless to say, these are not always finished products, for he wrote hurriedly with the audience rather than the reader in mind; but no one can deny that he was an original and inventive genius unsurpassed in poetic facility and plot creation. Many a playwright, Spanish and foreign, of later centuries has borrowed from the literary storehouse of Lope de Vega. His plays are characterized by an infectious gaiety, natural dialogue, resourcefulness, the subordination of character to plot, and variety of metrical forms. Thoroughly Spanish, his genius is national rather than universal. A very few of his plays are *El mejor alcalde el rey*, *La moza de cántaro*, and *Amar sin saber a quién*.

The selection below is one of his short religious lyrics. It is a lullaby to the Christ child in the manger at Bethlehem.

LOS PASTORES [1] DE BELÉN [2]

> Pues andáis en las palmas,
> ángeles santos,
> ¡ que se duerme mi Niño:
> tened los ramos ! [3]
>
> 5   Palmas de Belén
> que mueven airados [4]
> los furiosos vientos
> que suenan tanto;
> no le hagáis ruido,
> 10   corred más paso, [5]
> ¡ que se duerme mi Niño:
> tened los ramos !

El Niño divino,
que está cansado
de llorar en la tierra,
por su descanso,
sosegar [6] quiere un poco   5
del tierno llanto;
   ¡ que se duerme mi Niño:
tened los ramos!

   Rigurosos hielos [7]
le están cercando [8];   10
ya veis que no tengo
con qué guardarlo.
Ángeles divinos
que vais volando,
   ¡ que se duerme mi Niño: 15
tened los ramos!

1. shepherds   2. Bethlehem (the birthplace of Jesus)   3. branches
(of palm tree)   4. angrily   5. gently   6. to rest   7. icy blasts   8. are
drawing near to him

Quevedo

THE most brilliant and versatile man of his time was Francisco Gómez de Quevedo (1580–1645). Had his talents been fewer and his energies more concentrated, he might have been a really great poet, theologian, critic, statesman, satirist, or philosopher; as it was he was moderately successful in all these fields. Particularly does he emerge as an unyielding critic of the corrupt age in which he lived, a biting satirist whose trademark is his unfeeling cynicism.

Quevedo's life is a patchwork of political success and disfavor. Born in Madrid of parents who held high court positions, he was well educated at the leading universities and returned to the capital to make his presence immediately felt. Despite the fact that he was nearsighted and clubfooted, many tales are told of his feats of swordsmanship, among them that he disarmed the most famous fencing teacher of the time. His willingness to intervene in the quarrels of others led to duels, and at least once to a prudent self-exile. His marriage was not at all successful and this may account in part for his bitterness against womankind. Quevedo filled various important diplomatic posts, was a capable finance minister, and held the honorary position of secretary to Philip IV. On the other hand, his activities involved him in all sorts of difficulties. On one occasion he was forced to flee, disguised as a beggar, from a would-be murderer; on at least two others he was exiled for several years; and finally he was imprisoned for four years by the prime minister in a cold, damp cell below the river level at a monastery in León. This last experience broke his health and he died two years after his release in 1643.

Quevedo's poetry, of which there are over eight hundred examples of varying types, is sometimes marred by *conceptismo,* an overelaborate style emphasizing subtlety of thought expressed in rhetorical terms. Two of his most important prose works are *La vida del Buscón,* a picaresque tale, and *Los sueños,* a boldly bitter social satire in which the author tells his observations on his imaginary visits to Hell. The selection here given from *La vida del Buscón* tells of a trick played by the young *pícaro* on the town guards of Alcalá where he had gone as servant to a student at the university. The name *Buscón* comes from *buscar* and means one who seeks to earn his living by petty thieving and similar tricks.

HISTORIA DE LA VIDA DEL BUSCÓN

Yo, como era muchacho y veía que me alababan [1] el ingenio con que salía de estas travesuras,[2] me animaba para hacer muchas más. . . . Y así, prometí a don Diego [3] y a todos los compañeros, una noche, de quitar las espadas a la misma ronda.[4] Se señaló cuál [5] había de ser; fuimos 5 juntos, yo delante, y en columbrando [6] la justicia, llegué yo con otro de los criados de casa, muy alborotado,[7] y dije:

— ¿ Justicia ?

Respondieron: 10

— Sí.

— ¿ Es el señor corregidor ? [8]

Me dijeron que sí. Me hinqué de rodillas [9] y dije:

1. praised   2. pranks, mischief-making   3. (the young gentleman for whom *el Buscón* acts as servant)   4. from the night patrol itself   5. which one (*i.e.,* which night)   6. on spying, seeing at a distance   7. agitated 8. (Spanish magistrate or officer of justice)   9. I knelt down

— En manos de usted está mi remedio y mi venganza, y mucho provecho[1] de la república; mande usted oírme dos palabras a solas, si quiere una gran prisión.[2]

Se apartó, y ya los corchetes[3] empuñaban[4] sus espadas
5 y sus varitas,[5] y le dije:

— Señor, yo he venido siguiendo desde Sevilla[6] seis hombres los más famosos del mundo, todos ladrones y matadores[7] de hombres; y entre ellos viene uno que mató a mi madre y a un hermano mío por saltearlos[8] y les
10 está probado esto: y vienen acompañando, según he oído decir, a una espía[9] francesa, y aun sospecho, por lo que les he oído, que es — y bajando la voz dije — de Antonio Pérez.[10]

Con esto el corregidor dió un salto[11] hacia arriba, y
15 dijo:

— ¿ Dónde están ?

— Señor, en la casa pública; — dije yo — no se detenga usted, que las ánimas[12] de mi madre y de mi hermano se lo pagarán en oraciones, y el rey acá.[13]
20 — ¡ Jesús, no nos detengamos ! — dijo — ¡ Hola ! seguidme todos, dadme una rodela.[14]

Yo entonces le dije, aparte:

— Señor, perderse ha usted, si hace eso; porque antes importa que todos ustedes entren sin espadas y uno a
25 uno, que ellos están en los aposentos,[15] y traen pistolas; y en viendo entrar una espada, como saben que no las pue-

1. profit, advantage   2. capture   3. constables   4. clutched, held tightly   5. staffs, rods, emblems of authority   6. (city in southern Spain) 7. murderers   8. by attacking them in highway robbery   9. spy 10. (secretary to Philip II in the sixteenth century.   Pérez lost favor with the king and was accused of murder but was able to escape first into Aragón and later into England and France.)   11. jump, leap   12. souls   13. here (*i.e.*, the souls of my departed relatives will plead for your salvation and the king will reward you here in this world)   14. round shield 15. rooms

HISTORIA DE LA VIDA DEL BUSCÓN

den traer sino la justicia, dispararán.[1] Con dagas [2] es mejor, y cogerlos por detrás los brazos, que demasiados vamos.

. . . En esto llegamos cerca, y el corregidor, advertido, mandó que debajo de unas hierbas [3] pusiesen todos las 5 espadas escondidas, en el campo que está enfrente casi de la misma casa: las pusieron y caminaron. Yo, que había avisado al otro,[4] ellos dejarlas y él tomarlas y irse a casa fué todo uno; y al entrar todos, yo me quedé atrás el postrero [5]; y en entrando ellos mezclados con otra gente 10 que entraba, dí cantonada,[6] y me emboqué por una callejuela [7] que va a dar a la Victoria,[8] que no me alcanzara un galgo.[9] Ellos que entraron y no vieron nada, porque no había sino estudiantes y pícaros,[10] que es todo uno, comenzaron a buscarme, y no hallándome, sospecharon lo 15 que fué; y yendo a buscar sus espadas, no las hallaron. ¿Quién pudiera contar las diligencias [11] que con el rector [12] hizo el corregidor aquella noche? Anduvieron todos los patios, reconociendo las caras y mirando las armas. Llegaron a casa, y yo, por que no me conociesen, estaba 20 echado en la cama con un tocador,[13] y con una vela en la mano y un cristo [14] en la otra, y un compañero clérigo [15] ayudándome a morir; los demás, rezando [16] las letanías.[17] Llegó el rector y la justicia, y viendo el espectáculo,[18] se salieron, no persuadiéndose que allí podía haber habido 25 lugar para tal cosa. No miraron nada, antes el rector me

1. will shoot   2. daggers   3. grasses, weeds   4. (the servant who was with him)   5. last person   6. dodged, went around the corner 7. I entered by a narrow passage   8. which runs into the street in front of the (convent and square called) Victoria   9. so fast that a greyhound might not overtake me   10. rogues (This is an interesting comment on the reputation of the students in the University of Alcalá.)   11. activities 12. the president of the university   13. nightcap   14. crucifix   15. who was a cleric   16. praying   17. litanies (prayers of supplication for the safety of his soul)   18. spectacle, show

dijo un responso [1]; preguntó si estaba ya sin habla; le dijeron que sí. Y con tanto se fueron, desesperados de no hallar rastro,[2] jurando el rector de remitírsele [3] si le topase [4]; y el corregidor, de ahorcarle,[5] aunque fuese
5 hijo de un grande.[6] Me levanté de la cama, y hasta hoy no se ha acabado de solemnizar [7] la burla en Alcalá.[8]

— *Capítulo VI*

1. responsory (liturgical chant) for the dead 2. trace 3. to hand him over to him 4. if he should run across him 5. to hang him 6. a nobleman of first rank 7. praise, applaud 8. (a town about twenty-one miles from Madrid and the seat of a famous Renaissance university)

Calderón

LOPE de Vega's successor as the most famous dramatist of Spain was Pedro Calderón de la Barca (1600–
81), who for sixty years held the stage without any
serious rival. Born in Madrid of a prosperous family of
the minor aristocracy, Calderón was educated in the Colegio Imperial of that city and later may have gone to
the University of Salamanca. His father was secretary
of the treasury. In his youth Calderón engaged in a
couple of dueling episodes and some minor military campaigns, but his life was principally sober and respectable.
He was above all a courtier, but he was shrewd in business
matters. About 1650 he was ordained a priest, being appointed honorary chaplain to Philip IV in 1663. At the
king's request he continued to write secular drama, and
even at the time of his death he was engaged in writing
a new play.

Calderón's plays are inferior to Lope's in freshness,
naturalness of effect and language, and breadth of scope.
He often took his plots from other writers, and was
sometimes afflicted by overindulgence in rhetorical figures.
His characters are often monotonously similar, and his
plays seldom contain real depth of emotion. On the other
hand, he is superior to all *siglo de oro* dramatists in philosophical concept and intellectual import, symbolism,
imagery, and sublimity of style. He was a great lyric
poet and, unlike Lope, a careful craftsman. He wrote
about one hundred and twenty secular plays, eighty *autos,*
and twenty shorter productions.

The great philosophical play for which Calderón is
most famous is *La vida es sueño* from which both of the
selections below are taken. The story deals with a king

who was so addicted to astrology that when his son, Segismundo, was born under an unlucky star he banished
him to a mountain tower rather than subject his people
to what he was convinced would be a cruel reign. Later
he suffered from pangs of conscience and, determined to
give the boy a chance, had him drugged and brought to
the palace where he was treated as prince. Rebellious
and uneducated to court life, the young man's behavior
was such as to justify the father's worst suspicions; so
the king had him drugged again and sent back to his
tower where, upon awakening in chains, Segismundo pro-
nounces the famous monologue given below in which he
expresses the belief that all life is a dream and a prepa-
ration for the life to come. Strengthened by this new
philosophy he is enabled to rule wisely when a popular
revolt restores him to his rightful place. The shorter
passage is an illustrative anecdote from the same play.
The *décima* used in these selections is a ten-line stanza
with eight syllables to the line. The rhyme scheme is
a b b a a c c d d c.

LA VIDA ES SUEÑO

Décima

Cuentan de un sabio que un día
tan pobre y mísero [1] estaba
que sólo se sustentaba [2]
de unas yerbas [3] que cogía.
5 « ¿ Habrá otro », entre sí decía,[4]
« más pobre y triste que yo ? »

1. miserable   2. was nourishing himself   3. *hierbas* (grasses)   4. he
was saying to himself

Y cuando el rostro volvió,
halló la respuesta, viendo
que iba otro sabio cogiendo
las hojas que él arrojó.

— *Acto I, 253–62*

LA VIDA ES SUEÑO

Monólogo de Segismundo

Es verdad; pues reprimamos [1]
esta fiera condición,
esta furia, esta ambición,
por si [2] alguna vez soñamos.
Y sí [3] haremos, pues estamos   5
en mundo tan singular,
que el vivir sólo es soñar;
y la experiencia me enseña,
que el hombre que vive, sueña
lo que es hasta despertar.   10
Sueña el rey que es rey, y vive
con este engaño mandando,
disponiendo y gobernando;
y este aplauso que recibe
prestado, en el viento escribe;   15
y en cenizas [4] le convierte
la muerte (¡ desdicha [5] fuerte !):
¿ Qué hay quien intente reinar [6]
viendo que ha de despertar
en el sueño de la muerte ?   20
Sueña el rico en su riqueza,
que más cuidados le ofrece;

[49]

CALDERÓN

sueña el pobre que padece
su miseria y su pobreza;
sueña el que a medrar [7] empieza,
sueña el que afana [8] y pretende,
5   sueña el que agravia [9] y ofende,
y en el mundo, en conclusión,
todos sueñan lo que son,
aunque ninguno lo entiende.

    Yo sueño que estoy aquí,
10   destas [10] prisiones [11] cargado;
y soñé que en otro estado
más lisonjero [12] me ví.
¿ Qué es la vida? Un frenesí.[13]
¿ Qué es la vida? Una ilusión,
15   una sombra,[14] una ficción,
y el mayor bien es pequeño:
que toda la vida es sueño,
y los sueños sueños son.

— *Acto II, 2148–87*

1. let us repress, restrain   2. against the chance that   3. (used here for *así*)   4. ashes   5. calamity   6. Is there anyone who would try to reign?   7. prosper   8. toils   9. wrongs   10. (used here for *de estas*)   11. chains   12. flattering   13. frenzy   14. shadow

Samaniego

FÉLIX María de Samaniego (1745–1801), a Basque, received a French education and adopted something of the skepticism and cynicism prevalent in French literature of the time. Imitating the Roman Phædrus and the French La Fontaine, this country gentleman first introduced the versified fable into Spanish literature. His *Fábulas morales* are some of the best of the type, being spontaneously natural and characterized by simplicity, clarity, and force.

The fable given below is reminiscent of the story of the country girl who counted her chickens before they were hatched.

LA LECHERA [1]

Llevaba en la cabeza
una lechera el cántaro [2] al mercado [3]
con aquella presteza, [4]
aquel aire sencillo, aquel agrado, [5]
que va diciendo a todo el que lo advierte: 5
— ¡ Yo sí que estoy contenta con mi suerte!
Porque no apetecía [6]
más compañía que su pensamiento,
que alegre le ofrecía
inocentes ideas de contento.   10
Marchaba sola la feliz lechera,
y decía entre sí de esta manera:

— Esta leche vendida,
en limpio me dará tanto dinero;
y con esta partida
un canasto [7] de huevos comprar quiero,
5   para sacar cien pollos [8] que al estío [9]
me rodeen cantando el pío, pío.[10]

Del importe logrado [11]
de tanto pollo mercaré [12] un cochino [13];
con bellota,[14] salvado,[15]
10   berza,[16] castaña,[17] engordará [18] sin tino [19];
tanto, que puede ser que yo consiga
el ver cómo le arrastra la barriga.[20]
    Llevarélo al mercado;
sacaré de él sin duda buen dinero;
15   compraré de contado [21]
una robusta vaca [22] y un ternero [23]
que salte y corra toda la campaña
hasta el monte cercano a la cabaña.[24]
    Con este pensamiento
20   enajenada,[25] brinca [26] de manera,
que a su salto [27] violento
el cántaro cayó. ¡Pobre lechera!
¡Qué compasión! ¡Adiós, leche, dinero,
huevos, pollos, lechón,[28] vaca y ternero!

25   ¡Oh loca fantasía!
¡Qué palacios fabricas [29] en el viento!
Modera tu alegría,
no sea que saltando de contento,
al contemplar dichosa tu mudanza,[30]
30   quiebre [31] tu cantarillo [32] la esperanza.
    No seas ambiciosa
de mejor o más próspera fortuna,

que vivirás ansiosa,[33]
sin que pueda saciarte [34] cosa alguna.
No anheles,[35] impaciente, el bien futuro;
mira que ni el presente está seguro.

1. milkmaid 2. large, narrow-mouthed jug 3. marketplace 4. quickness 5. agreeableness 6. was longing for 7. large basket 8. chickens 9. summer 10. (This sound represents the cheeping of chickens.) 11. from the sum of money obtained 12. I shall buy 13. pig 14. acorn 15. bran 16. cabbage 17. chestnut 18. will grow fat 19. measure 20. belly 21. immediately 22. cow 23. calf 24. cabin 25. delirious 26. she skips 27. leap 28. sucking pig 29. you build 30. change 31. breaks 32. little jug, pitcher 33. anxious 34. to gratify your desire 35. do not covet

Iriarte

A T about the same time Samaniego began publication of his fables, Tomás de Iriarte (1750–91) became his literary rival with the publication of his *Fábulas literarias.* These differed from the work of his contemporary, however, in that they were original, rather than being adapted from older sources, and in that they usually censured literary rather than moral weaknesses. Iriarte began his career as a prose translator of the French writers Molière and Voltaire. Embittered by his own lack of success as a dramatist, he wasted most of his talents and his rather short life in literary quarrels. Even his fables are often covert attacks on prominent men of letters. Iriarte is less spontaneous if more elegant in his expression than Samaniego. The fables show considerable metrical variety. The tone is cynical, and the moral is contained in an epigram at the end.

The fable of the squirrel and the horse is, ironically enough, a criticism of those writers who waste their talents in frivolous pursuits unworthy of their efforts.

LA ARDILLA [1] Y EL CABALLO

> Mirando estaba una Ardilla
> a un generoso Alazán,[2]
> que dócil a espuela [3] y rienda [4]
> se adiestraba [5] en galopar.
> Viéndole hacer movimientos
> tan veloces [6] y a compás,[7]

de aquesta [8] suerte le dijo
con muy poca cortedad [9]:
  — Señor mío:
  de ese brío,[10]
  ligereza [11]   5
  y destreza [12]
  no me espanto [13];
  que otro tanto [14]
suelo hacer, y acaso más.
  Yo soy viva,   10
  soy activa,
  me meneo,[15]
  me paseo,
  yo trabajo,
  subo y bajo;   15
no me estoy quieta jamás.

  El paso detiene entonces
el buen Potro,[16] y muy formal,
en los términos siguientes
respuesta a la Ardilla da: 20
  — Tantas idas
  y venidas,
  tantas vueltas
  y revueltas,
  quiero, amiga,   25
  que me diga:
¿ son de alguna utilidad?
  Yo me afano,[17]
  mas no en vano.
  Sé mi oficio,   30
  y en servicio
  de mi dueño
  tengo empeño [18]
de lucir [19] mi habilidad.[20]

Conque [21] algunos escritores
ardillas también serán,
si en obras frívolas gastan
todo el calor natural.

1. squirrel   2. sorrel-colored horse   3. spur   4. rein (of horse)
5. was exercising himself   6. swift   7. in rhythm   8. this   9. timidity   10. energy   11. swiftness   12. expertness   13. I am not
frightened, awed   14. for just as much   15. I hustle   16. young horse
17. I toil   18. determination   19. to display   20. ability   21. then,
so then, likewise

Espronceda

J OSÉ de Espronceda y Delgado (1808–42), chief of the romantic poets of early nineteenth-century Spain, was the son of a general. His school days at the Colegio de San Mateo were turbulent, for he was not long in showing the revolutionary tendencies which were to keep him in almost perpetual exile or imprisonment for a large part of his life. During one of these exiles he fought in the Revolution of 1830 in Paris, and his brief periods in Spain were spent fighting or inciting the people to revolution through journalism. When the liberal forces triumphed in 1833, Espronceda returned home but proved too radical for his group. Later, however, he became somewhat more conservative and was appointed secretary to the embassy at The Hague. He soon gave up this post when he was elected to the Chamber of Deputies. He died the next year at the age of thirty-four.

Like the English poet Byron, to whom he is sometimes compared, Espronceda lived his romanticism. His poetry is intensely emotional and lyrical and shows zeal as a reformer, energetic spontaneity, pessimism, and a fiery, revolutionary nature. One of his two most famous longer poems is *El estudiante de Salamanca*, a spectacular feat of poetic craftsmanship based on the legend of a Don Juan who attended his own funeral. The other, *El diablo mundo*, is a philosophical poem concerning the history of humanity and was written in a tone of disillusionment. Espronceda himself never finished this work, and the attempts of his friends and admirers to do so were not particularly successful. One of his most popular shorter poems, the rhythmical *Canción del pirata*, is given below. In it is shown the poet's love of liberty as well as his easy mastery of different poetic forms.

CANCIÓN DEL PIRATA

Con diez cañones [1] por banda,[2]
viento en popa,[3] a toda vela,
no corta el mar, sino vuela
un velero [4] bergantín [5]:
5   bajel [6] pirata que llaman,
por su bravura,[7] el *Temido*,
en todo mar conocido
del uno al otro confín.[8]
La luna en el mar rïela,[9]
10   en la lona [10] gime [11] el viento,
y alza en blando movimiento
olas [12] de plata y azul;
y ve el capitán pirata,
cantando alegre en la popa,
15   Asia a un lado, al otro Europa,
y allá a su frente Stambul [13]:
« Navega,[14] velero [15] mío,
    sin temor;
que ni enemigo navío,[16]
20   ni tormenta,[17] ni bonanza [18]
tu rumbo [19] a torcer alcanza,
ni a sujetar [20] tu valor.

---

1. cannons 2. on each side of the ship 3. sailing before the wind (*popa* is the stern or rear end of the ship) 4. swift-sailing 5. brig (two-masted, square-rigged vessel) 6. vessel 7. courage 8. from one end of the world to the other 9. shines 10. canvas, sail 11. moans 12. waves 13. Istanbul or Constantinople 14. sail 15. swift-sailing vessel 16. warship 17. storm 18. fair weather 19. course 20. subdue

« Veinte presas [1]
hemos hecho
a despecho [2]
del inglés,
y han rendido   5
sus pendones [3]
cien naciones
a mis pies. »
Que es mi barco mi tesoro,
que es mi Dios la libertad,   10
mi ley la fuerza y el viento,
mi única patria la mar. [4]

« Allá muevan feroz [5] guerra
   ciegos reyes
por un palmo [6] más de tierra: 15
que yo tengo aquí por mío
cuanto abarca [7] el mar bravío, [8]
a quien nadie impuso leyes.
     « Y no hay playa, [9]
     sea cualquiera,   20
     ni bandera [10]
     de esplendor,
     que no sienta
     mi derecho,
     y dé pecho [11]   25
     a mi valor. »
Que es mi barco mi tesoro [12]. . .

1. captures   2. in defiance of   3. banners   4. (Note that *el mar* and
la mar are both found in this selection.)   5. fierce   6. span (eight inches)
7. embraces   8. ferocious, untamed   9. shore   10. flag   11. yields, pays
tribute to   12. (Note that the refrain recurs after each verse.)

« A la voz de ‹ ¡ barco viene ! › ¹
   es de ver
cómo vira ² y se previene ³
a todo trapo ⁴ a escapar;
5 que yo soy el rey del mar,
y mi furia es de temer.
   « En las presas
   yo divido
   lo cogido
10   por igual:
   sólo quiero
   por riqueza
   la belleza
   sin rival. »
15   *Que es mi barco mi tesoro . . .*

   « ¡ Sentenciado estoy a muerte ! »
   Yo me río:
no me abandone la suerte,
y al mismo que me condena
20 colgaré de alguna entena,⁵
quizá en su propio navío.
   « Y si caigo,
   ¿ qué es la vida ?
   Por perdida
25   ya la dí,
   cuando el yugo ⁶
   del esclavo,
   como un bravo,
   sacudí. »
30   *Que es mi barco mi tesoro . . .*

1. ship ahoy ! 2. veers, changes its course 3. prepares 4. all sails set 5. yardarm (of ship) 6. yoke

« Son mi música mejor
aquilones [1]:
el estrépito [2] y temblor [3]
de los cables sacudidos,
del negro mar los bramidos [4]   5
y el rugir [5] de mis cañones.

 « Y del trueno [6]
al son [7] violento
y del viento
al rebramar,[8]   10
yo me duermo
sosegado[9],
arrullado [10]
por el mar. »

Que es mi barco mi tesoro,   15
que es mi Dios la libertad,
mi ley la fuerza y el viento,
mi única patria la mar.

---

1. north winds 2. clamor 3. shaking 4. howls 5. roaring 6. thunder 7. sound 8. at the bellowing of the wind 9. quieted 10. lulled

Larra

SINCE he was the son of a doctor in Napoleon's army, the education of Mariano José de Larra (1809–37) was begun in France and continued, after the family returned to Spain, in a Jesuit school and the universities of Valladolid and Valencia. His legal career was cut short by an early love affair, and at the age of twenty he entered into an unfortunate marriage. Larra seems to have been rather immediately successful in his career of letters, and he became the most influential and best-paid journalist of his time. He was also well received in Madrid society. In 1835 he visited Extremadura, Portugal, London, and Paris. Seemingly at the height of his popularity, he committed suicide at the age of twenty-eight, the victim of an unrestrained temperament which contrasted oddly with his fine intelligence.

Larra wrote a rather significant historical novel and *Macías*, a well-known romantic play in verse, but he is most famous as a prose critic of literature, politics, and contemporary customs. Under the name of "Fígaro" he published his bitingly satirical observations and courageously expressed his advanced ideas. His style is clear-cut and characterized by short, barbed sentences. He shows to best advantage as a *costumbrista* or painter of society in his *Cartas del pobrecito hablador*, fourteen articles in which he attacks many national vices. Among these is "El castellano viejo," his criticism of that excessive patriotism which sees no good in foreign innovation and which takes refuge in blind, ignorant self-satisfaction. He was a keen observer, pointing out the defects of his compatriots and looking forward to a day when Spain would be more progressive.

EL CASTELLANO VIEJO

...Andábame días pasados por esas calles a buscar materiales para mis artículos. Embebido [1] en mis pensamientos, ...¿ qué sensación no debería producirme una horrible palmada [2] que una gran mano, pegada a un grandísimo brazo, vino a descargar [3] sobre uno de mis 5 hombros?...

— ¿ Quién soy? — gritaba ... — ¿ Quién soy?

— Un animal — iba a responderle; pero me acordé de repente [4] de quién podría ser....

— Braulio eres — le dije.   10

Al oírme, suelta sus manos y ríe....

— ¡ Bien, mi Bachiller! [5] ¿ Pues en qué me has conocido?

— ¿ Quién pudiera si no tú ...?

— Siempre el mismo genio.... ¡ Cuánto me alegro de 15 que estés aquí! ¿ Sabes que mañana son mis días? [6]

— Te los deseo muy felices.

— Déjate de cumplimientos [7] entre nosotros; ya sabes que yo soy franco y castellano viejo: el pan pan y el vino vino [8]; por consiguiente, [9] estás convidado.   20

— ¿ A qué?

— A comer conmigo.

— No es posible.

— No hay remedio.

— No puedo — insisto, ya temblando.   25

— ¿ No puedes?

1. absorbed   2. blow with the hand   3. to unload, inflict   4. suddenly   5. (*El Bachiller* was one of the numerous pseudonyms adopted by Larra.)   6. birthday or saint's day (The expression is sometimes written *día de días*.)   7. compliments, formalities   8. *i.e.*, I call a spade a spade and don't beat around the bush   9. consequently

— Gracias.

— ¿ Gracias? Vete a paseo.[1] Amigo, como no soy el duque de F. . ., ni el conde de P. . .

¿ Quién se resiste a una sorpresa de esta especie?
5 ¿ Quién quiere parecer vano?

— No es eso, sino que . . .

— Pues si no es eso, — me interrumpe — te espero a las dos: en casa se come a la española: temprano.[2] . . .

— Un día malo — dije para mí — cualquiera lo pasa.[3] . . .
10 — No faltarás, si no quieres que riñamos.

— No faltaré — dije con voz exánime[4] y ánimo decaído.[5] . . .

— Pues hasta mañana. . . .

Ya habrá conocido el lector . . . que mi amigo Braulio
15 está muy lejos de pertenecer a lo que se llama gran mundo y sociedad de buen tono; pero no es tampoco un hombre de la clase inferior . . . que es persona, en fin, cuya clase, familia y comodidades[6] de ninguna manera se oponen a que tuviese una educación más escogida y modales[7] más
20 suaves e insinuantes. Mas la vanidad le ha sorprendido por donde ha sorprendido casi siempre a toda o a la mayor parte de nuestra clase media, y a toda nuestra clase baja. Es tal su patriotismo, que dará todas las lindezas[8] del extranjero[9] por un dedo de su país; . . . de paso que[10]
25 defiende que no hay vinos como los españoles, en lo cual bien puede tener razón, defiende que no hay educación como la española, en lo cual bien pudiera no tenerla. . . .

No hay que hablarle, pues, de estas conveniencias sociales, de estos respetos mutuos,[11] . . . de esa delicadeza

1. Go to the deuce! 2. (Meals are served in Spain much later than in this country. Two o'clock would be a reasonably early hour for dinner.) 3. anyone goes through that 4. lifeless 5. depressed 6. freedom from want; comforts 7. manners 8. beauties 9. foreign countries 10. at the same time that 11. mutual

de trato que establece entre los hombres una preciosa
armonía, diciendo sólo lo que debe agradar y callando
siempre lo que puede ofender.... Cree que toda la
crianza [1] está reducida a decir *Dios guarde a ustedes* al entrar en una sala, y añadir *con permiso de usted* cada vez 5
que se mueve; a preguntar a cada uno por toda su familia,
y a despedirse de [2] todo el mundo.... En conclusión,
hombre de estos que no saben levantarse para despedirse
sino en corporación [3] con alguno o algunos otros, que han
de dejar humildemente debajo de una mesa su sombrero, 10
que llaman *su cabeza*, y que cuando se hallan en sociedad,
por desgracia, sin un socorrido [4] bastón,[5] darían cualquier
cosa por no tener manos ni brazos, porque en realidad no
saben dónde ponerlos ni qué cosa se puede hacer con los
brazos en una sociedad. 15

Llegaron las dos, y como yo conocía ya a mi Braulio,
no me pareció conveniente [6] acicalarme [7] demasiado para
ir a comer; estoy seguro de que se hubiera picado: no
quise, sin embargo, excusar un frac de color [8] y un pañuelo [9]
blanco, cosa indispensable en un día de días y en seme- 20
jantes casas. Vestíme sobre todo lo más despacio [10] que
me fué posible.... Era citado a las dos, y entré en la
sala a las dos y media.

No quiero hablar de las infinitas visitas ceremoniosas
que antes de la hora de comer entraron y salieron en 25
aquella casa, entre las cuales no eran de despreciar todos
los empleados de su oficina, con sus señoras y sus niños, y
sus capas, y sus paraguas, y sus chanclos,[11] y sus perritos;
... no hablo del inmenso círculo con que guarnecía [12]
la sala el concurso [13] de tantas personas heterogéneas, ... 30

1. good breeding   2. to take leave of   3. conjunction   4. useful
5. walking stick, cane   6. fitting   7. to dress in style, make an elabo-
rate toilet 8. black dress coat   9. kerchief   10. slowly   11. overshoes
12. was adorning, lining   13. gathering

Vengamos al caso: dieron las cuatro,[1] y nos hallamos
solos los convidados. ...

— Supuesto que [2] estamos los que hemos de comer,
— exclamó don Braulio — vamos a la mesa, querida mía.

5 — Espera un momento; — le contestó su esposa casi
al oído — con tanta visita yo he faltado algunos momentos
de allá dentro, y ...

— Bien, pero mira que son las cuatro ...

— Al instante comeremos.

10 Las cinco eran cuando nos sentábamos a la mesa.

— Señores, — dijo el anfitrión [3] — exijo la mayor franqueza [4]; en mi casa no se usan cumplimientos. ¡ Ah,
Bachiller !, quiero que estés con toda comodidad; eres
poeta, y además estos señores, que saben nuestras íntimas
15 relaciones, no se ofenderán si te prefiero; quítate el frac,
no sea que le manches.[5]

— ¿ Qué tengo de manchar? — le respondí, mordién-
dome [6] los labios.

— No importa; te daré una chaqueta [7] mía; siento
20 que no haya para todos.

— No hay necesidad.

— ¡ Oh, sí, sí ! ¡ Mi chaqueta ! Toma, mírala; un poco
ancha te vendrá.[8]

— Pero, Braulio ...

25 — No hay remedio; no te andes con etiquetas.[9]

Y en esto me quita él mismo el frac, ... y quedo sepul-
tado [10] en una chaqueta rayada,[11] por la cual sólo asomaba
los pies y la cabeza, y cuyas mangas [12] no me permitirían
comer, probablemente. Díle las gracias: ¡ al fin el hom-
30 bre creía hacerme un obsequio ! [13]

... Ya se concibe, pues, que la instalación de una gran

1. it struck four   2. since   3. host   4. frankness   5. stain, spatter
6. biting   7. jacket   8. it will be a little too big for you   9. don't
stand on ceremony   10. buried   11. striped   12. sleeves   13. favor

mesa de convite [1] era un acontecimiento [2] en aquella casa;
así que se había creído capaz de contener catorce personas
que éramos una mesa donde apenas podrían comer ocho
cómodamente.[3] ... Colocáronme, por mucha distinción,
entre un niño de cinco años, encaramado [4] en unas al- 5
mohadas [5] ... y uno de esos hombres que ocupan en el
mundo el espacio y sitio de tres. ...

... Interminables y de mal gusto fueron los cumplimientos con que, para dar y recibir cada plato, nos aburrimos [6]
unos a otros.   10

— Sírvase usted.
— Hágame usted el favor.
— De ninguna manera.
— No lo recibiré.
— Páselo usted a la señora.   15
— Está bien ahí.
— Perdone usted.
— Gracias.
— Sin etiqueta, señores; — exclamó Braulio — y se
echó el primero con su propia cuchara.[7] Sucedió a 20
la sopa [8] un cocido [9] ...: cruza por aquí la carne; por
allá la verdura [10]; acá los garbanzos [11]; allá el jamón [12];
la gallina por derecha; por medio el tocino.[13] ... Siguióle
un plato de ternera [14] mechada,[15] que Dios maldiga, y a
éste otro, y otros, y otros, mitad traídos de la fonda,[16] que 25
esto basta para que excusemos hacer su elogio,[17] mitad
hechos en casa por la criada de todos los días. ...

— Este plato hay que disimularle [18]; — decía su mujer
de unos pichones [19] — están un poco quemados.

1. banquet table   2. event   3. comfortably   4. raised   5. pillows
6. bored   7. he put his own spoon in first   8. soup   9. Spanish dish
of boiled meat and vegetables   10. greens, vegetables   11. chick-peas
12. ham   13. bacon   14. veal   15. larded (stuffed with pork or bacon)
16. inn   17. praise   18. pardon it   19. pigeons

— Pero, mujer . . .

— Hombre, me aparté un momento, y ya sabes lo que
son las criadas.

— ¡ Qué lástima que este pavo [1] no haya estado media
5 hora más al fuego! Se puso algo tarde. . . .

— ¡ Oh, está excelente! — exclamábamos todos. . . .

Estos diálogos cortos iban exornados [2] con una infinidad
de miradas furtivas [3] del marido para advertirle continuamente a su mujer alguna negligencia, queriendo darnos
10 a entender entrambos a dos [4] que estaban muy al corriente
de todas las fórmulas que en semejantes casos se reputan
finura,[5] y que todas las torpezas [6] eran hijas de los criados,
que nunca han de aprender a servir. . . .

A todo esto, el niño que a mi izquierda tenía hacía sal-
15 tar las aceitunas [7] a un plato de magras [8] con tomate, y
una vino a parar a uno de mis ojos, que no volvió a ver
claro en todo el día, y el señor gordo [9] de mi derecha había
tenido la precaución de ir dejando en el mantel,[10] al lado
de mi pan, los huesos de las suyas,[11] y los de las aves que
20 había roído [12]; el convidado de enfrente, que se preciaba
de trinchador,[13] se había encargado de hacer la autopsia
de un capón. . . .

En una de las embestidas [14] resbaló [15] el tenedor [16] sobre
el animal como si tuviera escama,[17] y el capón, violenta-
25 mente despedido, pareció querer tomar su vuelo [18] como
en sus tiempos más felices, y se posó en el mantel tranquilamente. . . .

El susto [19] fué general y la alarma llegó a su colmo [20]

1. turkey 2. adorned 3. furtive, sly 4. both of them 5. are considered fine manners 6. stupid acts 7. olives 8. thin slices of ham or
bacon 9. fat 10. tablecloth 11. (*Huesos* usually means "bones," but
los huesos de las suyas means "the pits of his olives.") 12. gnawed
13. carver, person who carves the meat 14. attacks 15. slipped 16. fork
17. fish scale 18. flight 19. fright, shock 20. height

cuando un surtidor [1] de caldo,[2] impulsado [3] por el animal furioso, saltó a inundar [4] mi limpísima camisa. Levántase rápidamente a este punto el trinchador con ánimo de cazar [5] el ave prófuga,[6] y al precipitarse [7] sobre ella, una botella que tiene a la derecha, con la que tropieza su brazo, abandonando su posición perpendicular, derrama un abundante caño [8] de Valdepeñas [9] sobre el capón y el mantel. . . .

— ¡ Por San Pedro ! — exclama dando una voz Braulio. . . . — Pero sigamos, señores; no ha sido nada — añade volviendo en sí.

. . . Por fin ¡ oh última de las desgracias ! crece el alboroto [10] y la conversación; roncas [11] ya las voces, piden versos . . . y no hay más poeta que el Bachiller.

— Es preciso. Tiene usted que decir algo — claman [12] todos.

— Désele pie forzado [13]; que diga una copla [14] a cada uno. . . .

— En mi vida [15] he improvisado.

— No se haga usted el chiquito.[16]

— Me marcharé.

— Cerrar [17] la puerta.

— No se sale de aquí sin decir algo.

Y digo versos por fin, . . . y crece la bulla,[18] y el humo, y el infierno.

A Dios gracias, logro escaparme de aquel nuevo *Pande-*

1. jet, spout   2. gravy   3. impelled   4. to flood, inundate   5. of hunting   6. fugitive   7. on rushing, flinging himself   8. jet of liquid (as if coming from a *caña*, ''spout'')   9. wine from Valdepeñas (city famous for its excellent Spanish wine)   10. tumult   11. hoarse   12. shout, demand   13. verses whose rhymes are planned beforehand (In this case, the audience would probably furnish the rhymes.)   14. (short popular poem of varying form, usually recited on festive occasions in praise of someone)   15. never (*En mi vida* is used here with negative force.)   16. Don't act like a child!   17. (infinitive used as command)   18. clamor

[69]

monio.[1] Por fin, ya respiro el aire fresco de la calle, ya no hay necios, ya no hay castellanos viejos a mi alrededor.

— ¡ Santo Dios, yo te doy gracias! — exclamo. . . .

— Para de aquí en adelante[2] no te pido riquezas, no te
5 pido empleos, no honores; líbrame de los convites[3] case-ros[4] y de días de días; líbrame de estas casas en que es un convite un acontecimiento, en que sólo se pone la mesa decentemente para los convidados, en que creen hacer obsequios[5] cuando dan mortificaciones, en que se hacen
10 finezas,[6] en que se dicen versos, en que hay niños, en que hay gordos, en que reina, en fin, la brutal franqueza de los castellanos viejos. . . .

. . . Vuelo a olvidar tan funesto[7] día entre el corto número de gentes que piensan, que viven sujetas al pro-
15 vechoso[8] yugo[9] de una buena educación libre y desem-barazada,[10] y que fingen acaso estimarse y respetarse mutuamente[11] para no incomodarse,[12] al paso que[13] las otras hacen ostentación de incomodarse, y se ofenden y se maltratan,[14] queriéndose y estimándose tal vez verdade-
20 ramente.

— *El Pobrecito Hablador*,
8.º, *diciembre de 1832*

1. tumult   2. from this time on   3. feasts to which persons are invited
4. in the home, domestic   5. courtesies   6. delicate expressions
of friendship   7. dismal, lamentable   8. advantageous   9. yoke
10. unembarrassed   11. mutually   12. in order not to inconvenience
each other   13. while   14. mistreat, abuse each other

Campoamor

A NATIVE of the Asturias, Ramón de Campoamor (1817–
1901) intended as a youth to become a Jesuit, later
vacillated between medicine and law, and finally
turned to literature and politics. He was governor of
Alicante and Valencia and, married to an Irish girl, led
a tranquil, serene existence without marital or economic
difficulties.

Although Campoamor tried his hand at dramatic and
philosophical writing and more pretentious poetry, he is
best known for his short lyrics to which he has given the
names *humorada*, a two- to six-line epigram; *dolora*, a
form characterized by the union of lightness and sentiment with brevity and philosophical significance; and
pequeño poema, an amplified *dolora*. While he insisted
that the idea of a poem was more important than its
form, he is nevertheless an expert craftsman and a master
of concise expression. More than most poets he reflects
the life and spirit of his time. *¡ Quién supiera escribir !*,
which is probably his best-known *dolora*, is a conversation between an illiterate peasant girl and the priest to
whom she must appeal in order to write to her absent
lover.

¡QUIÉN SUPIERA ESCRIBIR!

I

— Escribidme una carta, señor Cura.
  — Ya sé para quién es.
— ¿ Sabéis quién es, porque una noche obscura
  nos visteis juntos ? — Pues.

— Perdonad; mas . . . — No extraño ese tropiezo.[1]
    La noche . . . la ocasión . . .
Dadme pluma y papel. Gracias. Empiezo:
    Mi querido Ramón:

5   — ¿ Querido ? . . . Pero, en fin, ya lo habéis puesto . . .
      — Si no queréis . . . — ¡ Sí, sí !
— ¡ *Qué triste estoy !* ¿ No es eso ? — Por supuesto.
      — ¡ *Qué triste estoy sin ti !*

Una congoja,[2] *al empezar, me viene* . . .
10   — ¿ Cómo sabéis mi mal ?
— Para un viejo, una niña siempre tiene
    el pecho de cristal.

¿ Qué es sin ti el mundo ? *Un valle de amargura.*
    ¿ Y contigo ? *Un edén.*[3]
15   — Haced la letra clara, señor Cura;
    que lo entienda eso bien.

— *El beso aquel que de marchar a punto*
    te dí . . . — ¿ Cómo sabéis ? . . .
— Cuando se va y se viene y se está junto
20   siempre . . . no os afrentéis.[4]

Y si volver tu afecto no procura,
    tanto me harás sufrir . . .
— ¿ Sufrir y nada más ? No, señor Cura,
    ¡ que me voy a morir !

25   — ¿ Morir ? ¿ Sabéis que es ofender al cielo ? . . .
      — Pues, sí, señor, ¡ morir !
— Yo no pongo *morir.* — ¡ Qué hombre de hielo ![5]
    ¡ Quién supiera escribir !

II

¡ Señor Rector, señor Rector ! en vano
     me queréis complacer,
si no encarnan [6] los signos de la mano [7]
     todo el ser de mi ser.

Escribidle, por Dios, que el alma mía   5
     ya en mí no quiere estar;
que la pena no me ahoga cada día ...
     porque puedo llorar.

Que mis labios, las rosas de su aliento,
     no se saben abrir;   10
que olvidan de la risa el movimiento
     a fuerza de sentir.

Que mis ojos, que él tiene por tan bellos,
     cargados con mi afán,
como no tienen quien se mire en ellos,   15
     cerrados siempre están.

Que es, de cuantos tormentos he sufrido,
     la ausencia el más atroz;
que es un perpetuo sueño de mi oído
     el eco de su voz ...   20

Que siendo por su causa, el alma mía
     ¡ goza tanto en sufrir ! ...
Dios mío ¡ cuántas cosas le diría
     Si supiera escribir ! ...

III

— Pues señor,[8] ¡ bravo amor ! Copio y concluyo:
  A don Ramón . . . En fin,
que es inútil saber para esto, arguyo,[9]
    ni el griego ni el latín.

1. fault   2. anxiety   3. paradise   4. do not be ashamed, blush
5. ice 6. do not embody   7. (*i.e.*, the handwriting) 8. (*señor* is here an
exclamation by the priest and does not refer to any special person)   9. I
infer, conclude

Pedro Antonio de Alarcón

PEDRO Antonio de Alarcón (1833–91) was born in an
agricultural village in Andalusia into a distinguished
family ruined by the War of Independence fought
against the forces of Napoleon. Restless and adventure-
some, the boy abandoned his theological studies and his
home before he was twenty to become active in revolutionary movements and head of a radical periodical.
These activities were brought to a sudden end, however,
by a duel in which his life was saved only by the generosity of his opponent. Soon afterward he distinguished
himself for bravery in the African war of 1860, for which
he volunteered and about which he wrote a vivid account.
Alarcón's more ambitious novels seem destined to be
forgotten long before his shorter works, notably his *His-
torietas nacionales*, from which "El libro talonario" is
taken, and his two novelettes, *El sombrero de tres picos*
and *El Capitán Veneno*. He is not a great inventive genius,
but has a remarkable ability to make trivial, everyday
material seem lively and amusing. He is a master of nar-
ration and dialogue.

EL LIBRO TALONARIO [1]

... El tío Buscabeatas [2] pertenecía al gremio [3] de los
hortelanos [4] de Rota.[5]

1. stub book (for noting receipts of money paid)   2. (A *beata* is a
woman who goes to church too frequently. Alarcón, a typical Andalusian,
is fond of inventing striking names for his characters.)   3. guild   4. gar-
deners   5. (town near Cádiz, noted for its production of fine vegetables)

Ya principiaba [1] a encorvarse [2] en la época del suceso que voy a referir: y era que ya tenía sesenta años..., y llevaba cuarenta de labrar [3] una huerta lindante con [4] la playa [5] de la *Costilla*.[6]

5   Aquel año había criado allí unas estupendas calabazas [7]..., que ya principiaban a ponerse por dentro y por fuera de color de naranja,[8] lo cual quería decir que había mediado el mes de junio.[9]   Conocíalas perfectamente el tío Buscabeatas por la forma, por su grado de madurez [10] y hasta de nombre, sobre todo a los cuarenta ejemplares [11] más gordos [12] y lucidos,[13] que ya estaban diciendo *guisadme*,[14] y se pasaba los días mirándolos con ternura [15] y exclamando melancólicamente: — ¡ Pronto tendremos que separarnos !

15   Al fin, una tarde se resolvió al sacrificio; y señalando a los mejores frutos de aquellas amadísimas cucurbitáceas [16] que tantos afanes le habían costado, pronunció la terrible sentencia: — Mañana cortaré estas cuarenta y las llevaré al mercado [17] de Cádiz. ¡ Feliz quien se las coma !

20   Y se marchó a su casa con paso lento, y pasó la noche con las angustias del padre que va a casar una hija al día siguiente.

— ¡ Lástima de mis calabazas ! — suspiraba a veces sin poder conciliar el sueño.[18] Pero luego reflexionaba, y
25 concluía por decir: — ... ¡ Para eso las he criado ! Lo menos van a valerme quince duros. ...

Gradúese,[19] pues, cuánto sería su asombro, cuánta su furia y cuál su desesperación, cuando, al ir a la mañana

1. was beginning   2. to stoop   3. he had been cultivating for forty years   4. bordering on   5. seashore   6. (proper noun meaning "Little Coast")   7. squashes   8. orange   9. the month of June was half over   10. ripeness   11. examples, models   12. fat   13. shining, magnificent   14. cook me   15. tenderness   16. plants of the melon or squash type   17. market, marketplace   18. to induce sleep   19. measure, estimate to yourself

siguiente a la huerta, halló que, durante la noche, le habían
robado las cuarenta calabazas. . . .

— ¡ Como si lo viera, están en Cádiz! (dedujo [1] de sus
cavilaciones.) [2] El infame, pícaro ladrón [3] debió de ro-
bármelas anoche a las nueve o las diez y se escaparía con   5
ellas a las doce en el *barco de la carga* [4] . . . ¡ Yo saldré
para Cádiz hoy por la mañana en el *barco de la hora*, y
maravilla será que no atrape [5] al ratero [6] y recupere [7] a
las hijas de mi trabajo!

Así diciendo, permaneció todavía cosa de veinte minutos 10
en el lugar de la catástrofe, como acariciando [8] las muti-
ladas calabaceras, . . . hasta que, a eso de las ocho,[9] partió
con dirección al muelle.[10]

Ya estaba dispuesto para hacerse a la vela [11] el *barco
de la hora*, humilde falucho [12] que sale todas las mañanas 15
para Cádiz a las nueve en punto, conduciendo pasajeros,
así como el *barco de la carga* sale todas las noches a las
doce, conduciendo frutas y legumbres.[13] . . .

Eran, pues, las diez y media de la mañana cuando aquel
día se paraba el tío Buscabeatas delante de un puesto de 20
verduras [14] del mercado de Cádiz, y le decía a un aburrido [15]
polizonte [16] que iba con él:

— ¡ Éstas son mis calabazas! ¡ Prenda usted a ese
hombre!

Y señalaba al revendedor.   25

— ¡ Prenderme a mí! (contestó el revendedor, lleno
de sorpresa y de cólera.) — Estas calabazas son mías; yo
las he comprado. . . .

---

1. inferred, deduced   2. reflections   3. the wicked, rascally thief
4. (The *barco de la carga* was the boat that carried freight, whereas the
barco de la hora carried passengers.)   5. catch   6. petty thief   7. recover
8. caressing   9. about eight o'clock   10. wharf   11. set sail   12. sail-
boat   13. vegetables   14. green vegetables   15. bored   16. policeman

— Eso podrá usted contárselo al Alcalde — repuso el tío Buscabeatas.

— ¡ Que no!

— ¡ Que sí!

5 — ¡ Tío ladrón!

— ¡ Tío tunante! [1] ...

En esto ya había acudido alguna gente, no tardando en presentarse también allí el Regidor [2] encargado de la policía de los mercados públicos. ...

10 Enterada esta digna autoridad de todo lo que pasaba, preguntó al revendedor con majestuoso acento:

— ¿ A quién le ha comprado usted esas calabazas?

— Al tío Fulano,[3] vecino de Rota ... — respondió el interrogado.

15 — ¡ Ése había de ser ...! (gritó el tío Buscabeatas.) ¡ Cuando su huerta, que es muy mala, le produce poco, se mete a robar en la del vecino!

— Pero, admitida la hipótesis de que a usted le han robado anoche cuarenta calabazas (siguió interrogando el 20 Regidor, volviéndose al viejo hortelano), ¿ quién le asegura a usted que éstas, y no otras, son las suyas?

— ¡ Toma! (replicó el tío Buscabeatas.) ¡ Porque las conozco como usted conocerá a sus hijas, si las tiene! ¿ No ve usted que las he criado? Mire usted: ésta se 25 llama *cachigordeta* [4]; ésta, *coloradilla;* ésta, *Manuela* ..., porque se parecía mucho a mi hija la menor. ...

Y el pobre viejo se echó a llorar amarguísimamente.

— Todo eso está muy bien ...; pero la ley no se contenta con que usted reconozca sus calabazas. Es menester 30 que ... usted las identifique. ...

— ¡ Pues, verá usted qué pronto le pruebo yo a todo el mundo, sin moverme de aquí, que esas calabazas se han

1. rogue   2. magistrate   3. (name similar to Mr. X ... and Mr. So-and-So)   4. plump, chubby

criado en mi huerta! — dijo el tío Buscabeatas, no sin
grande asombro de los circunstantes.[1]

Y soltando en el suelo un lío [2] que llevaba en la mano,
agachóse,[3] arrodillándose [4] hasta sentarse sobre los pies, y
se puso a desatar [5] tranquilamente las anudadas [6] puntas 5
del pañuelo que lo envolvía. . . .

— ¿ Qué va a sacar de ahí ? — se preguntaban todos.

Al mismo tiempo llegó un nuevo curioso a ver qué
ocurría en aquel grupo, y habiéndole divisado [7] el revendedor, exclamó: 10

— ¡ Me alegro de que llegue usted, tío Fulano! Este
hombre dice que las calabazas que me vendió usted anoche,
y que están aquí oyendo la conversación, son robadas . . .
Conteste usted. . . .

El recién llegado se puso más amarillo [8] que la cera,[9] 15
y trató de irse; pero los circunstantes se lo impidieron
materialmente, y el mismo Regidor le mandó quedarse. . . .

El tío Fulano recobró su sangre fría, y expuso:

— Usted es quien ha de ver lo que habla; porque si no
prueba, y no podrá probar, su denuncia, lo llevaré a la 20
cárcel por calumniador. Estas calabazas eran mías; yo las
he criado, como todas las que he traído este año a Cádiz,
en mi huerta, y nadie podrá probarme lo contrario.

— ¡ Ahora verá usted ! — repitió el tío Buscabeatas
acabando de desatar el pañuelo y tirando de él. 25

Y entonces se desparramaron [10] por el suelo una multitud de trozos [11] de tallo [12] de calabacera, . . . mientras que
el viejo hortelano, sentado sobre sus piernas [13] y muerto de
risa, dirigía el siguiente discurso a los curiosos:

— Caballeros: ¿ no han pagado ustedes nunca contri- 30
bución? Y ¿ no han visto aquel libraco verde que tiene

1. bystanders 2. bundle, parcel 3. he squatted down 4. kneeling
5. untie 6. knotted 7. perceived, caught sight of 8. yellow 9. wax
10. there were spread over, scattered 11. pieces 12. stem 13. legs

el recaudador,[1] de donde va cortando recibos, dejando allí pegado un tocón,[2] para que luego pueda comprobarse si tal o cual recibo es falso o no lo es?

— Lo que usted dice se llama el *libro talonario* — observó 5 gravemente el Regidor.

— Pues eso es lo que yo traigo aquí: el *libro talonario* de mi huerta, o sea los cabos a que estaban unidas estas calabazas antes de que me las robasen. Miren ustedes. Este cabo era de esta calabaza.... Este otro..., ya lo están 10 ustedes viendo..., era de esta otra. Éste más ancho..., debe de ser de aquélla... ¡Justamente!

Y en tanto que así decía, iba adaptando un cabo... a la excavación que había quedado en cada calabaza al ser arrancada, y los espectadores veían con asombro que, 15 efectivamente, la base irregular y caprichosa de los pedúnculos[3] convenía del modo más exacto con la figura blanquecina y leve concavidad que presentaban las que pudiéramos llamar cicatrices[4] de las calabazas....

Y las carcajadas[5] de los grandes se unían a los silbidos[6] 20 de los chicos,... a las lágrimas de triunfo y alegría del viejo hortelano y a los empellones[7] que los guindillas[8] daban ya al convicto ladrón, como impacientes por llevárselo a la cárcel.

Excusado es decir que los guindillas tuvieron este gusto; 25 que el tío Fulano se vió obligado desde luego[9] a devolver[10] al revendedor los quince duros que de él había percibido; que el revendedor se los entregó en el acto al tío Buscabeatas, y que éste se marchó a Rota sumamente contento, bien que fuese diciendo por el camino: — ¡Qué hermosas 30 estaban en el mercado! ¡He debido traerme a *Manuela*, para comérmela esta noche y guardar las pepitas![11]

1. tax collector   2. stub   3. stems   4. scars   5. loud laughs   6. whistlings   7. shoves   8. policemen (colloquial)   9. immediately   10. to return   11. seeds

Ricardo Palma

BORN in Lima, the capital of Peru, Ricardo Palma (1833–1919) early associated himself with an enthusiastic group of young literary men. Besides his more serious literary efforts he devoted himself to journalism and held political and diplomatic posts. He was at one time exiled for political reasons. After the disastrous Peruvian war with Chile he served for thirty years as director of the National Library, and it was largely through his efforts that restoration of the fine collection of colonial documents was accomplished.

Although Palma also wrote drama and poetry, he is best known for his *Tradiciones peruanas*, published from 1872 to 1906 and relating the historical and legendary story of Peru from the days of Inca greatness to Peru's defeat by Chile in the nineteenth century. These tales are whimsically humorous and often lightly ironical. The legend given here tells of the glory of the Incas, before the arrival of the Spaniards, when their leader was Pachacutec, whose name means "conqueror of peoples."

TRADICIONES PERUANAS

LA ACHIRANA [1] DEL INCA [2]

En 1412 el inca Pachacutec, acompañado de su hijo el príncipe imperial Yupanqui y de su hermano Capac-

1. (Inca word meaning " that which runs clearly toward the beautiful ")
2. (ruler of the Indians in Peru)

Yupanqui, emprendió la conquista del valle de Ica,[1] cuyos habitantes, si bien [2] de índole [3] pacífica, no carecían de [4] esfuerzo y elementos para la guerra. Comprendiólo así el sagaz [5] monarca, y antes de recurrir a [6] las armas pro-
5 puso a los iqueños [7] que se sometiesen a su paternal gobierno. Aviniéronse éstos [8] de buen grado, y el inca y sus cuarenta mil guerreros fueron, cordial [9] y espléndidamente, recibidos por los naturales.

Visitando Pachacutec el feraz [10] territorio que acababa
10 de sujetar a su dominio, detúvose una semana en el *pago* [11] llamado Tate. Propietaria del pago era una anciana a quien acompañaba una bellísima doncella,[12] hija suya.

El conquistador de pueblos creyó también de fácil conquista el corazón de la joven; pero ella, que amaba a un
15 galán de la comarca,[13] tuvo la energía, que sólo el verdadero amor inspira, para resistir a los enamorados ruegos [14] del prestigioso [15] y omnipotente soberano.

Al fin, Pachacutec perdió toda esperanza de ser correspondido, y tomando entre sus manos las de la joven, la
20 dijo, no sin ahogar antes un suspiro:

— Quédate en paz, paloma [16] de este valle, y que nunca la niebla [17] del dolor tienda su velo [18] sobre el cielo de tu alma. Pídeme alguna merced que, a ti y a los tuyos, haga recordar siempre el amor que me inspiraste.

25 — Señor, — le contestó la joven, poniéndose de rodillas y besando la orla [19] del manto [20] real —, grande eres y para ti no hay imposible. Venciérasme [21] con tu nobleza, a no

1. (valley near the Peruvian coast about one hundred miles south of Lima) 2. although 3. disposition 4. were not lacking in 5. wise, sagacious 6. before resorting to 7. people living in the valley of Ica 8. the latter agreed 9. *cordialmente* (When two or more adverbs in –*mente* modify the same word, –*mente* is used only with the last adverb.) 10. fertile 11. district, farm 12. maiden 13. district 14. entreaties 15. distinguished 16. dove 17. fog, mist 18. veil 19. border 20. cloak, mantle 21. you would conquer me

tener ya [1] el alma esclava de otro dueño. Nada debo pedirte, que quien dones [2] recibe obligada queda; pero si te satisface la gratitud de mi pueblo, ruégote que des agua a esta comarca. Siembra [3] beneficios y tendrás cosecha [4] de bendiciones.[5] Reina, señor, sobre corazones agradecidos más que sobre hombres que, tímidos, se inclinan ante ti, deslumbrados [6] por tu esplendor.

— Discreta eres, doncella de la negra crencha,[7] y así me cautivas [8] con tu palabra como con el fuego de tu mirada. ¡Adiós, ilusorio ensueño [9] de mi vida! Espera diez días, y verás realizado lo que pides. ¡Adiós, y no te olvides de tu rey!

Y el caballeroso monarca, subiendo al *anda de oro* [10] que llevaban en hombros los nobles del reino, continuó su viaje triunfal.

Durante diez días los cuarenta mil hombres del ejército se ocuparon en abrir el cauce [11] que empieza en los terrenos del Molino y del Trapiche [12] y termina en Tate, heredad [13] o pago donde habitaba la hermosa joven de quien se apasionara [14] Pachacutec. . . .

Tal, según la tradición, es el origen de la *achirana*, voz que significa *lo que corre limpiamente hacia lo que es hermoso.*

— *Tercera serie*

1. if I did not already have   2. gifts   3. sow   4. crop   5. blessings
6. dazzled   7. tresses (of hair)   8. captivate   9. dream   10. (golden litter or sedan chair in which the Inca ruler was carried by his nobles)   11. ditch for conveying water to the fields   12. cane mill, sugar mill   13. property, farm   14. (Here the imperfect subjunctive is used with indicative force, "had become passionately fond.")

José Hernández

JOSÉ Hernández (1834–86), newspaper writer and politician, was born in Argentina and spent his youth on the pampas or plains where he gained a thorough knowledge of the country and its customs, as well as an insight into the psychology of the gaucho, or Argentine cowboy. He himself took part in many military campaigns and once emigrated to Brazil for political reasons. He was editor of several publications in Argentina and Uruguay, namely *El Argentino* in Entre Ríos, *La Patria* in Montevideo, and the *Revista del Río de la Plata* which he founded in Buenos Aires. He later became active in politics and was elected representative to the legislature at Buenos Aires.

A poem with great popular appeal is his *Martín Fierro*. After the first part was published in 1872, the book is said to have been stocked along with other commodities on the shelves of country groceries to meet the demand. This long gaucho poem, part of the first section of which is reproduced here, relates the disillusionment of an Argentine farmer who, drafted into the army, is forced to leave his home and family to fight the Indians. After deserting, he returns to discover that his farm is in ruins and his family has disappeared. Martín Fierro becomes a gaucho outlaw, then joins the Indians and, in *La vuelta de Martín Fierro* (1878), he finally returns to civilization. These poems symbolize a pioneer race which was disappearing before the advance of civilization. Hernández frequently uses the picturesque language of the gaucho, thus introducing words which are not found in literary Spanish.

MARTÍN FIERRO

Aquí me pongo a [1] cantar
al compás de [2] la vigüela,[3]
que el hombre que lo desvela [4]
una pena extraordinaria,
como la ave [5] solitaria   5
con el cantar se consuela.

Pido a los santos del Cielo
que ayuden mi pensamiento,
les pido en este momento
que voy a cantar mi historia   10
me refresquen [6] la memoria
y aclaren [7] mi entendimiento.

Vengan santos milagrosos,[8]
vengan todos en mi ayuda,
que la lengua se me añuda,[9]   15
y se me turba la vista;
pido a mi Dios que me asista
en esta ocasión tan ruda.

Yo he visto muchos cantores,
con famas bien obtenidas,   20
y que después de adquiridas,
no las quieren sustentar [10]:
parece que sin largar [11]
se cansaron en partidas.

1. I begin to   2. accompanied by   3. guitar (the usual instrument of
the gaucho singer)   4. keeps awake (*pena* is the subject)   5. (*el ave* is
the correct form)   6. refresh   7. clarify, make brilliant   8. miraculous
9. knots   10. sustain   11. without setting sail, leaving (*i.e.*, some
singers wear themselves out by repetitious beginnings without ever really
getting their story well told)

Mas ande [1] otro criollo [2] pasa
Martín Fierro ha de pasar,
nada lo hace recular [3]
ni las fantasmas [4] lo espantan,[5]
5 y dende que [6] todos cantan
yo también quiero cantar.

Cantando me he de morir,
cantando me han de enterrar,[7]
y cantando he de llegar
10 al pie del Eterno Padre,
dende el vientre [8] de mi madre
vine a este mundo a cantar. . . .

Yo no soy cantor letrao,[9]
mas si me pongo a cantar
15 no tengo cuando acabar [10]
y me envejezco [11] cantando;
las coplas [12] me van brotando [13]
como agua de manantial.[14]

Con la guitarra en la mano
20 ni las moscas [15] se me arriman,[16]
naides [17] me pone el pie encima,[18]
y cuando el pecho se entona,[19]
hago gemir [20] a la prima [21]
y llorar a la bordona.[22] . . .

1. (used here for *donde*)   2. Creole (white person of European descent
born in America)   3. yield, give up   4. ghosts   5. frighten   6. (used
here for *desde que*, "since")   7. to bury   8. womb   9. (used here for
letrado, "educated, learned")   10. I do not know when to stop   11. I
grow old   12. verses, songs   13. come gushing forth from me   14. spring
15. flies   16. approach me, stay upon me   17. (used here for *nadie*)
18. surpasses me   19. when the chest gets into tune, when the quality
of the voice is well modulated   20. moan   21. treble string (of guitar)
22. lowest bass string

Nací como nace el peje [1]
en el fondo de la mar,
naides me puede quitar
aquello que Dios me dió,
lo que al mundo truje [2] yo   5
del mundo lo he de llevar.

Mi gloria es vivir tan libre
como el pájaro del cielo,
no hago nido [3] en este suelo
ande [4] hay tanto que sufrir;   10
y naides me ha de seguir
cuando yo remonte el vuelo. [5]

Yo no tengo en el amor
quien me venga con querellas, [6]
como esas aves tan bellas   15
que saltan de rama en rama,
yo hago en el trébol [7] mi cama,
y me cubren las estrellas.

Y sepan cuantos escuchan
de mis penas el relato   20
que nunca peleo [8] ni mato
sino por necesidá [9];
y que a tanta alversidá
sólo me arrojó el mal trato.

Y atiendan la relación   25
que hace un gaucho perseguido,

1. (used here for *pez*, "fish")   2. (used here for *traje*, "I brought")
3. nest   4. (used here for *donde*)   5. take to flight   6. love laments
7. clover   8. I never fight   9. (used here for *necesidad;* likewise, *alversidá* is used for *adversidad*, "misfortune," in the next line)

[87]

que fué buen padre y marido
empeñoso [1] y diligente,
y sin embargo la gente
lo tiene por un bandido.

— *Primera parte*

1. eager, persistent

Bécquer

I T was not strange that Gustavo Adolfo Bécquer (1836–70) should have been attracted to the arts, for he came from a family of painters. When the boy was orphaned at the age of ten, he was adopted by his godmother, a kindhearted but practical woman who changed her mind about making him her heir when he refused to enter on a substantial business career. When he was eighteen he journeyed from Seville to Madrid where he began a struggle against hardship that lasted the rest of his life. Newspaper writing, translation, and literary hack work of all sorts, interspersed with brief periods of government employment, were the means by which he eked out a living. His marriage in 1861 was most unhappy, and after his estrangement from his wife he set up his residence with his brother, Valeriano, a painter, with whom he had much in common. Twice they were forced to withdraw from Madrid to combat Gustavo's poor health, and he died at the age of thirty-four, just three months after his brother.

Bécquer was a timid, sensitive idealist who, though he later became somewhat disillusioned, lived in a world of dreams. During his lifetime, his twenty-two prose legends, many of which deal with the supernatural colored by rather morbid fancy, were quite well received. Today he is probably better known for his *Rimas*, published posthumously. This collection of seventy-six short poems deals simply with subjects of such universal interest as love, sorrow, and death. Bécquer was a pure artist, uninfluenced by social or political problems. He did not follow prevailing literary schools but was, rather, a belated Romanticist.

A gentle resignation and dreamy melancholy pervade his works.

Volverán las obscuras golondrinas gives Romantic expression to the recurrence of events in nature but, also in Romantic fashion, points out that no two events nor two loves are ever identical. The two four-line poems give in brief form some of his ideas about love.

RIMA (XXI)

¿ Qué es poesía ? dices mientras clavas
en mi pupila [1] tu pupila azul;
¿ Qué es poesía ?   ¿ Y tú me lo preguntas ?
Poesía . . . eres tú.

1. pupil (of eye)

RIMA (XXXVIII)

Los suspiros [1] son aire, y van al aire.
Las lágrimas son agua, y van al mar.
Dime, mujer: cuando el amor se olvida,
¿ Sabes tú adónde va ?

1. sighs

RIMA (LIII)

Volverán las obscuras golondrinas [1]
en tu balcón sus nidos [2] a colgar,
y, otra vez, con el ala a sus cristales
jugando llamarán.

Pero aquellas que el vuelo [3] refrenaban [4]
tu hermosura y mi dicha a contemplar,
aquellas que aprendieron nuestros nombres . . .
ésas . . . ¡ no volverán !

Volverán las tupidas [5] madreselvas [6]   5
de tu jardín las tapias [7] a escalar,[8]
y otra vez a la tarde, aun más hermosas,
sus flores se abrirán;

Pero aquellas, cuajadas [9] de rocío,[10]
cuyas gotas mirábamos temblar   10
y caer, como lágrimas del día . . .
ésas . . . ¡ no volverán !

Volverán del amor en tus oídos
las palabras ardientes a sonar;
tu corazón de su profundo sueño   15
tal vez despertará;

Pero mudo [11] y absorto [12] y de rodillas,
como se adora a Dios ante su altar,
como yo te he querido . . . desengáñate,[13]
¡ así no te querrán !   20

1. swallows   2. nests   3. flight   4. were restraining, checking
5. dense, luxuriant   6. honeysuckles   7. walls (of a garden)   8. to scale,
climb over   9. filled   10. dew   11. silent   12. absorbed (in thought)
13. do not be deceived

Benavente

THE son of a Madrid children's specialist who was in comfortable circumstances, Jacinto Benavente (1866–   ) was given a good education and the opportunity to travel. He began the study of law, but deserted it for literature. From 1894 until the last decade he kept up a steady stream of dramatic productions scarcely interrupted by his travels in America as artistic director of a theatrical company in 1921–22. In 1922 he was awarded the Nobel prize for literature.

Like his father, Benavente was very fond of children and was much interested in establishing in Madrid a children's theater for which he wrote several delightful plays. Most of his dramas are plays of social satire and character; however, he does not often create a strong situation or include much action in his productions, the interest of which depends principally upon character development and dialogue. They are pleasant, yet do not arouse strong emotion, but rather give the effect of being cold, intellectual, and delicately ironical — a gallery of types and a series of satirical scenes. He has written more than eighty plays, two of the more important of which are *Señora ama* and *La malquerida*.

El marido de su viuda first appeared in 1908 and is typical of his general tone and the strata of society with which he deals most effectively. The characters are Carolina, widow of the famous Don Patricio Molinete but now married to the intelligent but unambitious Don Florencio; Don Florencio, who had been the close friend of Patricio Molinete; Zurita, journalist and friend of the family; Eudosia and Paquita, Carolina's critical sisters-

in-law by her first marriage; Valdivieso, a bookseller; and
Casalonga, a problematical character whose acts furnish
the tragi-comedy of the play.

EL MARIDO DE SU VIUDA *

Acto único

Personajes

Carolina	Florencio
Eudosia	Zurita
Paquita	Valdivieso
Casalonga	

En una capital de provincia

Decoración, Gabinete [1]

ESCENA PRIMERA

Carolina y Zurita

ZURITA. (*Entrando.*) ¡Amiga mía!

CAROLINA. Amigo Zurita; muy amable en haber acudido tan pronto. Yo no sé cómo corresponder a sus aten-
ciones.

ZURITA. Encantado siempre de servir a usted en algo, 5
amiga mía.

1. reception room

* Copyright, 1908, by Jacinto Benavente. *El marido de su viuda* may be
performed only by arrangement with the author's representative, John
Garrett Underhill, 20 Exchange Place, New York.

CAROLINA.   Hice que le buscaran a usted por todas partes.   Usted perdone si le he molestado, pero el caso era
urgente.   Me hallo en una situación dificilísima; todo el
tacto es poco para no caer en uno de esos ridículos insos-
5 tenibles [1] . . ., si usted no me salva con sus consejos.

ZURITA.   Cuente usted con ellos, cuente usted conmigo
para todo.   Pero, ¿ usted en ridículo?   No puedo creerlo.

CAROLINA.   Sí, sí, amigo mío.   Usted es el único de
quien puedo aconsejarme.   Usted es una persona de buen
10 gusto; sus artículos y crónicas de sociedad son el árbitro [2]
del buen tono;   las decisiones de usted se respetan, se
acatan [3] por todo el mundo.

ZURITA.   No siempre, no siempre. . . .   En otro tiempo,
existía aquí una sociedad escogida; pero ahora no es lo
15 mismo, usted lo sabe. . . .   Nuestra sociedad ha cambiado
mucho.   Dominan los *parvenus* [4] . . .   Y el dinero es insolente. . . .   Pero vamos al caso, estoy impaciente . . .

CAROLINA.   El caso es, como usted sabe, que mañana
es el día señalado para la inauguración de la estatua de
20 mi marido . . ., de mi anterior marido . . .

ZURITA.   Honor merecidísimo a la memoria de aquel
grande hombre, de aquel hombre ilustre, a quien tanto
debe esta provincia, España entera. . . .   Don Patricio
Molinete no podía tener enemigos . . .   El día de mañana
25 nos consolará de muchas miserias locales.

CAROLINA.   Sí, en efecto; debo estar orgullosa y agra-
decida.   Pero comprenda usted lo delicado de mi situación . . .   Casada en segundas nupcias,[5] ya no llevo su
nombre, pero tampoco puedo desentenderme de [6] haberlo

1. indefensible, ridiculous situations   2. arbiter, judge   3. are accepted   4. newly rich (French word)   5. married again   6. ignore

llevado, mucho menos cuando todo el mundo sabe que fuimos un matrimonio modelo... Yo habría salvado la situación ausentándome estos días, pretextando una indisposición... Pero, ¿ cómo se habría interpretado? Como un desaire,[1] acaso como una protesta... 5

ZURITA. Seguramente. Si por circunstancias de la vida, muy respetables, ya no lleva usted aquel nombre ilustre, no por eso puede usted dejar de compartir [2] el honor de haberlo llevado dignamente. Para su actual marido no puede haber ofensa. 10

CAROLINA. No; ¡ pobre Florencio!... Él fué el primero en indicarme que yo debía participar en todo de esta satisfacción... Mi pobre Florencio fué siempre el primer admirador de mi pobre Patricio... Sus ideas políticas eran las mismas, en todo pensaban lo mismo.... Me bastó 15 que Florencio fuera el amigo inseparable de Patricio para estimarle como le he estimado. Cierto que Florencio nunca brillará tanto por sus condiciones de carácter, pero no es porque le falten grandes dotes [3] de inteligencia... Pero no tiene ambición; conmigo, con su casita, con este 20 hogar modelo, ve colmadas [4] sus aspiraciones. Y yo estoy muy contenta; yo tampoco soy ambiciosa.... Pues bien, amigo Zurita: ... ¿ Qué actitud debe ser la mía? Si parezco demasiado triste, nadie creerá en la sinceridad de mi sentimiento. Tampoco puedo mostrarme complacida; 25 dirían que había olvidado demasiado pronto... Ya lo dicen...

ZURITA. ¡ Oh, no! Quedó usted viuda muy joven... La vida no podía haber terminado para usted.

CAROLINA. Sí, sí; ¡ dígales usted eso a mis cuña- 30 das![5]... En fin, considere usted que ni sé cómo debo

1. slight, rebuff 2. to share 3. gifts, talents 4. fulfilled 5. sisters-in-law

vestirme en estos días ... Un traje severo que parezca al
luto [1] ... sería ridículo presentándome al lado de mi marido.... Aconséjeme, amigo Zurita; aconséjeme usted ...
Usted, ¿ qué se pondría ?

5 ZURITA. Es difícil, es difícil acertar en el punto ...
Pero yo creo que un elegante vestido negro con alguna
nota violeta. La inauguración de un monumento que
perpetúa la gloria de un grande hombre, no es motivo
para entristecerse.... Usted le ha llorado bastante ...
10 Usted ha respetado su memoria; si ha vuelto usted a
casarse, ha sido con un caballero dignísimo, que era el
mejor amigo de su esposo de usted.... En fin, amiga
mía ..., todo el mundo apreciará la situación de usted
como es debido.

15 CAROLINA. Mis cuñadas me tienen asustada.[2] Asegu-
ran que mi situación es ridícula y la de mi marido mucho
más ridícula....

ZURITA. Sus cuñadas de usted exageran. Y a usted
sólo puede importarle la opinión de su esposo.

20 CAROLINA. Por ese lado estoy tranquila.... Pero los
demás, los demás ...

ZURITA. Los demás somos los buenos amigos de usted
y de su segundo esposo, que lo fuimos también del primero
y estaremos siempre con ustedes, o los enemigos, los in-
25 diferentes, que nada deben importarle a usted.

CAROLINA. Gracias, muchas gracias. Ya sé que es
usted un buen amigo nuestro, que lo fué usted suyo.

ZURITA. De los dos, de los tres [3]; sí, señora, de los
tres ... Aquí tiene usted a su marido.

1. mourning   2. frightened   3. (*i.e.*, you, your dead husband, and
your present husband)

ESCENA II

Dichos [1] *y Don Florencio*

ZURITA. ¡ Amigo don Florencio !

FLORENCIO. ¡ Queridísimo Zurita ! . . . ¡ Cuánto me alegro de verle ! . . . Deseaba dar a usted las gracias por el precioso artículo que ha publicado usted a la memoria de nuestro inolvidable. . . . Nos hizo llorar. ¿ No es verdad, Carolina ? 5

CAROLINA. Sí, en efecto.

FLORENCIO. Estoy satisfecho, amigo Zurita. . . . ¿ Ha visto usted el monumento ? Muy artístico. La estatua es de gran parecido.[2] Es él, es él . . ., y los motivos alegóricos, muy artísticos: tanto el desnudo [3] de la Verdad como el del Comercio y de la Industria, son de una ejecución perfecta. No pueden estar más parecidos . . . Ya sabe usted las batallas que hemos reñido para imponer los desnudos. Los elementos reaccionarios no querían desnudos; el escultor se negaba a entregar la obra si se suprimían [4] los desnudos. Al fin conseguimos que triunfaran los sagrados fueros [5] del Arte. 10 15

CAROLINA. Pues, mira, yo hubiera preferido que no hubiera desnudos. ¿ Qué necesidad había de que nadie se molestara ? Ya sé de algunos amigos que no asistirán a la inauguración por ese motivo. 20

FLORENCIO. Ridiculeces, preocupaciones que nos tienen en lamentable atraso [6] . . . Pero tú no puedes pensar así;

1. the persons who have been in the previous scene 2. resemblance 3. nude figure 4. were suppressed, abolished 5. rights 6. backwardness

la que fué compañera de aquel espíritu tan liberal, tan amplio [1] ... Recuerdo el viaje que hicimos juntos por Italia. ¿No te acuerdas tú, Carolina? La admiración ante aquellos gloriosos monumentos del arte pagano y del
5 Renacimiento [2] ... Aquel hombre era un gran artista sobre todo ... ¡Ah! ¡Qué hombre! ¡Qué grande hombre! ... Yo estoy seguro que no podré contener mi emoción en el momento de descubrir la estatua. ...

ZURITA. Si ustedes no mandan otra cosa ...

10 CAROLINA. Muchas gracias, Zurita ... No sabe usted cuánto le agradezco ... Desde que sé cómo he de vestirme, ya no me parece tan difícil mi situación.

ZURITA. Lo creo. Las situaciones más difíciles para una señora son aquéllas en que no sabe qué ponerse.

15 CAROLINA. Hasta mañana.

ZURITA. Don Florencio ...

FLORENCIO. Agradecidísimo por su sentido, sentido artículo. ¡Admirable! ¡Admirable! (*Sale Zurita.*)

ESCENA III

Carolina y Don Florencio

FLORENCIO. Estás emocionada, ¿verdad? Honda-
20 mente emocionada. Como yo; no te esfuerces [3] por ocultarlo.

CAROLINA. Estoy ..., qué sé yo, violenta [4]; ésa es la palabra. ...

1. broad-minded, great   2. Renaissance   3. do not make an effort
4. extremely uncomfortable

[98]

FLORENCIO. ¿ Verdad que no te pesa haber cambiado su nombre ilustre por el mío modestísimo? Aunque a ti te consta[1] que si yo me hubiera propuesto brillar . . ., si yo hubiera tenido aspiraciones . . . Porque yo creo tener algún talento. ¿ No lo crees tú?   5

CAROLINA. Sí, hombre, sí; pero no digas más tonterías.

FLORENCIO. Estás nerviosa . . . No se puede hablar contigo. ¡ Uy, tus cuñadas! Esto sí que no.[2] Di que no estoy en casa.

CAROLINA. No te preocupes. Nunca me preguntan 10 por ti.

FLORENCIO. ¡ Cuánto me alegro! Te deseo una horita corta, y huyo.

CAROLINA. ¡ Pues también estoy de humor para oírlas![3] (*Sale don Florencio.*)   15

ESCENA IV

Carolina, Eudosia y Paquita

EUDOSIA. ¿ No estorbamos?[4]

CAROLINA. ¡ Qué pregunta! Adelante.

EUDOSIA. ¿ Conque[5] hoy estás en casa?

CAROLINA. Ya lo veis.

PAQUITA. Como siempre que venimos a verte da la 20 casualidad de que has salido[6] . . .

CAROLINA. Sí que es casualidad.

1. you know   2. certainly not this   3. (This is said, of course, in an ironic tone.)   4. We are not disturbing you?   5. so then   6. it is a coincidence that you have gone out

EUDOSIA.   La casualidad es encontrarte. (*Pausa.*) A
tu marido acabamos de ver en la calle.

CAROLINA.   ¿ Estáis seguras?

PAQUITA.   Muy bien acompañado por cierto.

5   CAROLINA.   ¿ Sí?

EUDOSIA.   Paquita es quien le ha visto con la de Somolinos [1] en la confitería [2] de Sánchez.

CAROLINA.   Es posible.

PAQUITA.   ¿ Y te quedas tan fresca? Con la fama que
10 tienen la de Somolinos y la confitería de Sánchez.

CAROLINA.   De la confitería no sabía nada.

EUDOSIA.   Que ninguna señora decente, o que quiera
parecerlo, pone los pies en ella desde que Sánchez se casó
con esa francesa.

15   CAROLINA.   Tampoco sabía lo de la francesa.

EUDOSIA.   Pues sí, se casó con ella. . . . Se casó, si eso
puede llamarse casado, en Bayona,[3] por lo civil,[4] como se
casa la gente en esa Francia de perdición [5] . . .

CAROLINA.   Cuánto lo siento, porque soy muy golosa,[6]
20 y bombones [7] y *marrons glacés* [8] como los de casa de Sánchez no los hay aquí ni en ninguna parte.

PAQUITA.   Pues te aconsejamos que no se los compres;
te criticará todo el mundo . . . Sólo la de Somolinos se
atreve a entrar en casa de Sánchez y a tratarse con su
25 mujer, que le ha dado la receta para pintarse el pelo. ¿ No
te has fijado cómo lo lleva ahora?

1. the wife of Somolinos   2. confectionery, candy shop   3. Bayonne
(French city quite near the Spanish border)   4. by civil marriage (rather
than in the Catholic church)   5. wicked-living   6. fond of sweetmeats
or candy   7. bonbons, candy   8. chestnuts preserved in sugar (French
words)

CAROLINA.   No he reparado.

EUDOSIA.   Ya no es color caoba [1] como antes; ahora
es un rubio bebé ... Además, la francesa la arregla las
manos dos veces por semana ... ¿ No te has fijado cómo
lleva las uñas ? [2]   No se habla de otra cosa. (*Pausa.*)   5

PAQUITA.   ¿ Conque por fin ése se ha salido con la suya ? [3]

CAROLINA.   ¿ Quién es ése ?

EUDOSIA.   Se me resiste llamarle tu marido.[4]   ¡ Pobre
hermano nuestro !

CAROLINA.   ¡ Ah ! No sé a qué podéis referiros.   10

EUDOSIA.   A que por fin ha colocado en el monumento
de nuestro pobre hermano esas figuras desnudas.

PAQUITA.   Y de tamaño [5] natural.

CAROLINA.   Pero Florencio no tiene la culpa ... Eso
es cosa del escultor, de la Comisión ... ¿ Y qué tiene de 15
particular ?   En todos los monumentos hay figuras así;
son figuras alegóricas.

EUDOSIA.   Pase todavía que la estatua de la Verdad no
esté vestida; siempre se ha dicho que la Verdad es así.
Pero la Industria y el Comercio ..., ¿ no podían llevar 20
una túnica ? [6]   Sobre todo el Comercio creo que está
indecente.

PAQUITA.   Nosotras ya no iremos a la tribuna de preferencia [7]; es la que está de frente, y desde allí se ve todo.

EUDOSIA.   ¿ Y tú insistes todavía en presentarte ?   ¿ No 25
ha habido nadie que te haya aconsejado mejor ?

1. color of mahogany   2. fingernails   3. has carried his point (*i.e.*,
gained his wishes about the monument) 4. It is difficult for me to call
him your husband. 5. size 6. tunic 7. reserved platform (for distinguished guests)

CAROLINA.   Si he sido invitada, señal de que no parece inconveniente mi presencia.

PAQUITA.   La tuya, no ... si estuvieras como debías estar; pero al lado de ese hombre ..., el que fué su mejor
5 amigo ... A los tres años escasos.

CAROLINA.   Largos.

EUDOSIA.   ¡ Te parecen largos ! ¡ Tres años ! ¡ Un día para los que le seguimos llorando !

PAQUITA.   Para los que todavía llevamos su apellido,[1]
10 porque ninguno nos parece más digno.

EUDOSIA.   Y por no dejar de llevarlo, hemos renunciado a partidos muy ventajosos.[2]

CAROLINA.   Pues habéis hecho mal, porque vuestro hermano ya sabéis que tenía gran empeño en veros casadas.

15 PAQUITA.   Él creía que todos los hombres eran como él, dignos de una mujer como nosotras. ¡ Pobre hermano ! ¡ Si alguien le hubiera dicho que iban a olvidarle tan pronto ! ... Si te ve desde el cielo, ¡ qué disgusto el suyo !

CAROLINA.   No creo que en el cielo nadie pueda tener
20 disgustos; no valía la pena de estar en el cielo ... Vosotras no queréis haceros cargo de mi situación. Una viuda joven, lo menos malo que puede hacer para evitar murmuraciones, es volver a casarse. Y yo era muy joven cuando quedé viuda.

25 EUDOSIA.   Veintinueve años.

CAROLINA.   Veintiséis.

EUDOSIA.   Admitamos los veintiséis. Ya no eras una niña. Además, una mujer viuda nunca es joven.

1. surname   2. advantageous

CAROLINA. Ni una soltera [1] es nunca vieja. Corriente.[2]
Lo que no veo es lo que puede haber de incorrecto en que
yo presencie la inauguración de la estatua.

EUDOSIA. Comprende que en todos los discursos han
de hablar de su muerte prematura, del sentimiento de 5
todos por la pérdida de hombre tan ilustre. ¿Qué cara
vas a poner al oírlo? ¿Quién va a creer que no estás
más conforme que todos, viéndote tan compuesta y tan
consolada al lado de ese hombre?

PAQUITA. Y cuando todos recuerden su talento..., 10
¿qué cara va a poner tu marido, que no tiene ninguno?

CAROLINA. Bien sabes que no era ésa la opinión de
vuestro hermano, que estimaba mucho a Florencio.

EUDOSIA. ¡ Le estimaba! ¡ Pobre hermano mío! ¡ Por
tener todos los talentos, tenía también el de dejarse en- 15
gañar!

CAROLINA. Esa suposición me ofende...; nos ofende
a todos.

EUDOSIA. ¿ Dónde has guardado eso, Paquita?

PAQUITA. Aquí lo traigo. (*Saca un libro.*) 20

EUDOSIA. Entérate, entérate de ese libro que ha llegado
hoy de Madrid y se vende en casa de Valdivieso.

CAROLINA. ¿ Qué es esto? (*Leyendo la cubierta del
libro.*) « Don Patricio Molinete y su obra. Biografía.
Correspondencia. Intimidades. » Os agradezco... 25

PAQUITA. No, no agradezcas nada... Ya verás lo
que escribía nuestro pobre hermano en sus cartas dirigi-
das al autor de ese libro, íntimo amigo suyo.

1. unmarried woman   2. All right.

CAROLINA. Recaredo Casalonga. ¡Ah, sí, un trapisondista[1] que tuvimos que echarle de casa!... Y dices
que trae unas cartas... Ya estoy alarmada, siendo cosa
de ese desahogado de Casalonga.[2]

5 EUDOSIA. Lee, lee... Página doscientas catorce. ¿No
es eso, Paquita?

PAQUITA. Empieza en la doscientas catorce; pero lo
gordo[3] está en la doscientas quince.

CAROLINA. A ver, a ver... ¿Qué es esto? ¿Qué
10 cartas son éstas? ¿Qué dice aquí?... Que yo... Pero
esto no es verdad...; esto no ha podido decirlo mi
marido.

EUDOSIA. Cuando se atreven a publicarlo en letras de
molde[4]...

15 CAROLINA. Pero esto no puede ser. Este libro es una
calumnia[5]... Esto no es respetar la vida privada. ¡Lo
más privado de la vida! Esto no puede quedar así.

EUDOSIA. Pues quedará, quedará; ya verás cómo
queda.

20 PAQUITA. A estas horas se habrán agotado[6] los ejemplares.[7]

CAROLINA. ¡Ah, ya lo veremos!... Se verá...
¡Florencio! ¡Florencio! Ven en seguida. ¡Florencio!

EUDOSIA. Si aún no habrá vuelto.

25 PAQUITA. Estaba tan entretenido.[8]

CAROLINA. Si no ha salido de casa... ¡Sois unas
chismosas![9]

1. mischief-maker   2. that impudent Casalonga   3. the rich part
4. print   5. slander   6. will probably be exhausted   7. copies of the
book   8. he was having such a fine time   9. gossips

EUDOSIA. ¡Carolina! Esa palabra la habrás dicho sin reflexionarla.

PAQUITA. No creo haber oído bien. ¿Has dicho chismosas?

CAROLINA. Sí, sí; dejadme en paz. No puedo sufriros. 5 Vosotras tenéis la culpa de todo.

EUDOSIA Y PAQUITA. ¡Carolina!

CAROLINA. ¡Florencio! ¡Florencio!

ESCENA V

Dichas y Florencio

FLORENCIO. ¿Qué te ocurre, mujer? ¿Qué te ocurre? ¡Ah, están ustedes aquí! Tanto gusto . . . 10

EUDOSIA. Nosotras, sí; nosotras, que ahora mismo salimos para siempre de esta casa . . ., donde se nos insulta.[1]

PAQUITA. Donde se nos llama chismosas.

EUDOSIA. Donde se nos dice que no pueden sufrirnos. 15

PAQUITA. Y cuando eso se dice . . ., ¡qué será lo que se piensa!

FLORENCIO. Pero Eudosia, Paquita, no comprendo . . . Por mi parte . . .

EUDOSIA. La que es hoy su señora se lo explicará a 20 usted.

PAQUITA. ¡Salir así de esta casa que fué de nuestro hermano!

1. one insults us

EUDOSIA. ¡ Pobre hermano nuestro !

FLORENCIO. Pero Carolina . . .

CAROLINA. Déjalas, déjalas; son insoportables.

PAQUITA. ¿ Has oído, Eudosia ? ¡ Somos insoportables !

5 EUDOSIA. Ya lo he oído, Paquita. Creo que no nos queda más que oír en esta casa.

CAROLINA. Sí; insoportables como todas las viejas solteronas.[1]

EUDOSIA. Aun nos quedaba más que oír . . . Vamos, 10 Paquita.

PAQUITA. Vamos, Eudosia. (*Salen.*)

ESCENA VI

Carolina y Florencio

FLORENCIO. ¿ Pero qué disgusto has tenido con tus cuñadas ?

CAROLINA. Con ellas, no; por ellas: es lo mismo. Se 15 complacen en llevar y traer noticias desagradables . . . Todo lo que puede molestar. ¿ Tú te acuerdas de Casalonga ?

FLORENCIO. ¿ Recaredo Casalonga ? ¡ No he de acordarme ! Un tipo delicioso, gran filósofo de la vida, un 20 humorista muy divertido . . .

CAROLINA. Sí, todo eso; pues ese filósofo, ese humorista ha tenido la humorada [2] de publicar este libro.

1. old maids 2. pleasant joke (here sarcastic in tone)

FLORENCIO. A ver « Don Patricio Molinete. Su vida
y su obra. Biografía. Correspondencia. Intimidades. »
¡ Hombre ! ¡ Qué idea ! Sí que fueron muy amigos; pero
no creo que el libro pueda ser muy interesante. Este
pobre Casalonga, ¿ qué novedad [1] puede decirnos? 5

CAROLINA. A nosotros ninguna ... Pero lee, lee.

FLORENCIO. ¡ Hombre ! ¡ Cartas de Patricio ! ¿ Diri-
gidas a quién ?

CAROLINA. Al autor de este libro, según él asegura.
Cartas muy íntimas, muy confidenciales. Lee, lee. 10

FLORENCIO. « Querido amigo: La vida es triste.
¿ Quieres saber por qué estoy tan desilusionado? ¿ Por
qué no tengo fe ninguna en los destinos de nuestra desgraciada patria? ... » Quieres saber ... Esta carta está
escrita cuando ya estaba enfermo. El pobre, con su pa- 15
decimiento,[2] lo veía todo negro ... ¡ Ah, los grandes
hombres no debían estar sujetos a estas miserias ! ...
No somos nada. « Los destinos de nuestra desgraciada
patria ... »

CAROLINA. Bueno; eso no importa nada ... Más 20
abajo. Lee, lee. ...

FLORENCIO. « Yo no he amado más que una vez, y a
una sola mujer, la mía ... » Tú.

CAROLINA. Sigue, sigue.

FLORENCIO. « Yo no he creído más que en un amigo, 25
mi único amigo, Florencio. » Yo.

CAROLINA. Tú, sí; tú. Sigue, sigue.

FLORENCIO. ¿ A qué viene esto? ¡ Ah ! ¿ Qué dice
aquí ? Que tú, que yo ...

1. news   2. suffering

[107]

CAROLINA. Lee, lee.

FLORENCIO. « Pues bien: esa mujer, ese amigo, los dos grandes, los dos únicos, los dos sagrados afectos de mi vida, de mi existencia ... No me atrevo a decirlo. ¡ Si
5 no me atrevo a pensarlo! Se aman, se aman en silencio, acaso sin sospecharlo ellos mismos.... Comprendo que luchan por vencer su pasión culpable [1] ... Pero ¿ lucharán siempre? En medio de todo, los compadezco [2] ... Pero ¿ qué debo hacer? ¡ Soy muy desgraciado! »

10 CAROLINA. ¿ Qué dices?

FLORENCIO. ¡ Pero esto no puede ser! Él no puede haber escrito esto. Y si lo escribió no puede publicarse.

CAROLINA. Pues se ha publicado verdad o mentira, y ahí lo tienes. ¡ Ah!, y eso no es nada; en las cartas si-
15 guientes sigue comunicando sus observaciones, y, la verdad, hay algunas ... que sólo él podía haber hecho ...

FLORENCIO. De modo que tú crees, tú opinas que estas cartas son auténticas ...

CAROLINA. Pueden serlo. Hay datos, detalles [3] ...

20 FLORENCIO. ¡ Y nosotros creíamos que él nada sospechaba!

CAROLINA. Poco a poco, Florencio ... Él nada podía sospechar ... Tú sabes mejor que nadie cómo supimos respetarle, a pesar de todo ...

25 FLORENCIO. ¡ Pues ya ves de lo que nos ha servido!

CAROLINA. Él sólo pudo creer ... la verdad ... Que nos amábamos en silencio ...

FLORENCIO. ¡ De bastante nos ha servido el silencio! ¡ Para que él fuera a contárselo al botarate de Casa-

1. guilty   2. I pity   3. details

[108]

longa!¹... ¿Por qué no nos dijo algo? Hubiéramos
sido más prudentes, le hubiéramos tranquilizado... Pero
esto de contarle al primero que se presenta... Comprende ahora mi situación, nuestra situación en estos momentos... Cuando todo el mundo consagra un recuerdo ₅
a su memoria, cuando yo me he afanado² tanto por la
realización de ese monumento, ¿qué dirá todo el mundo
después de leer esto?

CAROLINA. Siempre te dije que el monumento nos
daría más de un disgusto.... ₁₀

FLORENCIO. ¡Ah!... Pero esto no puede quedar
así... Ahora mismo me dirijo a la Prensa,³ al Juzgado,⁴
al gobernador, a las librerías.⁵ Y en cuanto a Casalonga... ¡Ah! Yo daré con él,⁶ y, o rectifica y declara
que esas cartas son apócrifas⁷ de cabo a rabo⁸..., o le ₁₅
mato. Me batiré con él, pero muy seriamente.

CAROLINA. ¡Florencio! ¡No digas disparates!⁹ ¡Un
duelo!¹⁰ ¡Exponer tu vida!...

FLORENCIO. ¡No me detengas!

CAROLINA. ¡Florencio! Haz lo que quieras; pero un ₂₀
duelo, no.

FLORENCIO. ¡Ah! O rectifica y recoge la edición de
este libelo,¹¹ o de lo contrario...

CAROLINA. ¡Zurita!

FLORENCIO. Querido amigo... Llega usted a tiempo. ₂₅

1. the reckless Casalonga   2. when I have toiled   3. press   4. court
of justice   5. bookstores   6. I shall find him   7. apocryphal, false
8. from head to tail, from beginning to end   9. nonsense   10. duel
11. libel, slanderous writing

ESCENA VII

Dichos y Zurita

ZURITA. Don Florencio ... Carolina ... ¡No me digan ustedes nada!

FLORENCIO. ¿Ha visto usted?... ¿Ha visto usted?... ¿En qué país vivimos?

5 CAROLINA. ¿También usted ha leído ...?

ZURITA. Me enteré en el Casino [1]; allí tenían el libro, lo comentaban ...

FLORENCIO. ¿En el Casino?

ZURITA. Tranquilícese usted ... Todo el mundo dice
10 que se trata de un *chantage*,[2] que esas cartas no pueden ser de don Patricio.

FLORENCIO. ¡Ah! ¿Dicen eso?...

ZURITA. Me faltó tiempo [3] para dirigirme a la librería de Valdivieso, que es donde se vende el libro ... Le en-
15 contré consternado, él no sabía nada; adquirió los ejemplares creyendo que se trataba de un asunto serio, de actualidad [4] en estos momentos ... Le faltó tiempo para retirar del escaparate [5] los ejemplares y para dirigirse en busca del autor.

20 FLORENCIO. ¿Del autor? Pero ¿está aquí el autor?

ZURITA. Sí; él mismo le ha vendido en firme [6] los ejemplares; llegó con ellos esta mañana.

FLORENCIO. ¡Ah! ¿Conque está aquí ese pillete de Casalonga? [7] ¿Y usted sabe dónde se encuentra?...

1. Casino, clubhouse   2. blackmail (French word)   3. I lost no time
4. current interest   5. show window   6. outright   7. rogue of a Casalonga

ZURITA.   En el Hotel de Europa.

CAROLINA.   ¡Florencio!   No vayas tú.   ¡Deténgale usted!   Quiere desafiarle.[1]

ZURITA.   ¿Qué dice usted?   No vale la pena.   Usted está por encima de todo eso,[2] y su señora de usted mucho más por encima.

FLORENCIO.   Y la gente, amigo Zurita, ¿qué dirá la gente?

ZURITA.   La gente lo ha tomado a risa.[3]

FLORENCIO.   ¿A risa?   Estamos en el ridículo más espantoso.[4]

ZURITA.   No quiero decir eso . . .; quiero decir . . .

FLORENCIO.   No, amigo Zurita.   Usted es un hombre de honor, usted sabe que yo necesito matar a ese hombre.

CAROLINA.   Pero, ¿y si es él el que te mata a ti?   No, Florencio; un duelo no.   ¿Para qué están los Tribunales?[5]

FLORENCIO.   No, me batiré . . ., querido Zurita . . . Busque usted a otro amigo . . . Vayan ustedes en representación mía al Hotel de Europa.   Vean ustedes a ese hombre, exíjanle ustedes una reparación inmediata . . ., una reparación completa, rotunda.[6]   O declara, bajo su firma,[7] que esas cartas son una falsedad indigna, o de lo contrario . . .

CAROLINA.   ¡Florencio!

FLORENCIO.   No reparen ustedes en las condiciones . . ., las más serias . . ., a pistola, con balas de verdad,[8] avanzando . . .

1. to challenge him to a duel   2. above all that   3. as a joke
4. dreadful   5. courts of justice   6. clear, full   7. signature   8. real
bullets

ZURITA.   Pero don Florencio...

CAROLINA.   No vaya usted, se lo ruego.

FLORENCIO.   Es usted mi amigo... Vaya usted en el acto.

5 CAROLINA.   No, no irá usted.

ZURITA.   Pero don Florencio... Una persona seria como usted...

FLORENCIO.   Cuando a una persona seria se la pone en ridículo, deja de ser seria. Considere usted mi situación 10 mañana ante ese monumento. ¡Yo! Su mejor amigo... Ella, mi esposa, su viuda... Y la gente comentando esas cartas... ¡Suponer que yo..., que ella!... Corra usted, corra usted... No vuelva usted sin esa reparación.

15 ZURITA.   ¡Calle usted! Oigo la voz de Valdivieso.

FLORENCIO.   ¿Eh?... Y la de Casalonga... ¡Pero tiene valor de presentarse en mi casa!... Veremos qué explicación da, veremos... Lo que sí te agradeceré es que nos dejes solos... Estos asuntos de honor no son 20 para señoras.

CAROLINA.   Está bien; pero me quedo cerca... No estoy tranquila. No tienes ningún arma, ¿verdad?

FLORENCIO.   Mujer, ¿cuándo he llevado yo armas de ninguna clase?

25 CAROLINA.   Ten prudencia, ten calma, piensa en mí...

FLORENCIO.   Estoy en mi casa, no tengas cuidado....

CAROLINA.   Mira que estoy muy nerviosa... Ten calma, por Dios; ten prudencia... (*Sale.*)

ESCENA VIII

Don Florencio y Zurita

ZURITA. ¿ Está usted más tranquilo?

FLORENCIO. Descuide [1] usted . . . ¿ Está ahí ese hombre?

ZURITA. Sí; le ha traído Valdivieso, que desea since-rarse [2] con usted. . . . El pobre Valdivieso está muy dis- 5 gustado . . . ¡ Le estima a usted tanto! Es usted una de las tres o cuatro personas que aquí compran libros. ¡ Se alegrará tanto si usted le tranquiliza diciéndole que nunca le creyó usted capaz . . . !

FLORENCIO. No. ¡ Pobre Valdivieso! Que pase, que 10 pasen . . . (*Sale Zurita, y a poco entra con Valdivieso y Casalonga.*)

ESCENA IX

Dichos, Casalonga y Valdivieso

VALDIVIESO. ¡ Señor don Florencio! No sé cómo de-cirle a usted . . . Supongo que usted no dudará de mi buena fe en este asunto . . . Yo ignoraba . . ., yo no podía 15 sospechar . . .

FLORENCIO. Con usted no va nada. Pero este caba-llero . . .

CASALONGA. ¡ Calla, hombre, no me digas nada! Lo que menos podía yo sospechar es que iba a encontrarte 20 aquí . . . y casado con la viuda. ¡ Es gracioso!

1. don't worry   2. to justify, excuse himself

FLORENCIO. ¿ Pero oye usted esto? . . .

CASALONGA. ¡ Déjate de tonterías, no me vengas con esa cara ! . . .

FLORENCIO. En primer lugar, no recuerdo que nos
5 hayamos tuteado [1] nunca.

CASALONGA. Sí, hombre; sí. Y si no nos tuteamos es lo mismo. Durante una temporada [2] fuimos inseparables. ¡ Y en tiempos muy difíciles para los dos ! Pero, ¿ qué importaba ? Cuando el uno no tenía dinero se lo pedía
10 al otro, y tan contentos.

FLORENCIO. Sí, me acuerdo que el otro era siempre yo.

CASALONGA. ¡ Ja, ja, ja ! [3] Es posible, es posible . . . ¿ Conque estás tan incomodado [4] conmigo ? ¡ Qué tontería ! No vale la pena.

15 FLORENCIO. ¿ Pero oyen ustedes ?

VALDIVIESO. Crea usted que si yo hubiera sospechado . . . Le compré en firme los ejemplares, aprovechando la actualidad del monumento. Pero ¡ si yo hubiera sabido . . . !

20 CASALONGA. Pues eso, aprovechando la actualidad. Yo ando muy mal, chico. Esta situación me tiene en las últimas [5] . . . Ya no sabe uno qué discurrir para sacar dinero. . . . Figúrate que hasta he andado por esos pueblos explicando las vistas de un cine [6] . . . Ya conoces mi
25 facilidad de palabra. . . . Pero enfermé de la garganta.[7] . . . Yo tengo muy buenas relaciones . . . Pero los amigos . . . ¡ Ah, los amigos ! En cuanto les pides algo ya no hay

1. that we have ever used (the familiar form) *tú* in speaking to each other 2. time, season, period 3. Ha! (indicates laughter) 4. vexed, angered 5. has me near my end, on my last legs 6. motion picture 7. I had throat trouble

amigos ... En esto me enteré de que aquí inaugurabas
un monumento a la memoria de nuestro amigo Patricio.
¡ Pobre Patricio! ¡ Aquél sí era un amigo! ¡ Allí había
hombre siempre! Se me ocurrió escribir cuatro tonterías
de recuerdos personales, publicar unas cuantas cartas que 5
conservaba de él ...

FLORENCIO. ¡ Feliz ocurrencia! [1] ...

CASALONGA. Pensé que en ninguna parte podía ven-
derse mejor que aquí, en su patria. Llegué esta mañana
en tercera,[2] chico, en tercera ... Me fuí a casa de este 10
hombre, le coloqué dos mil ejemplares, que me pagó con
un descuento [3] horroroso ... ¡ Estos libreros! [4] ...

VALDIVIESO. ¡ Oiga usted! ¡ Pues no hay duda que he
hecho un bonito negocio! ¿ Usted cree que yo voy a
vender un ejemplar más de ese libelo, sabiendo que en él 15
se ofende a mi particular y respetable amigo don Florencio
y a su distinguida esposa?

FLORENCIO. ¡ Gracias, amigo Valdivieso; muchas gracias!

VALDIVIESO. Quemaré la edición, aunque ya ve usted 20
la pérdida que me supone.

FLORENCIO. De eso no hay que hablar. Eso es cuenta
mía.

CASALONGA. ¿ Lo ve usted? Florencio paga. Quéjese
usted ahora. Pero mal hecho, chico; yo que tú [5] no le 25
daba un cuarto ...

VALDIVIESO. ¡ Oiga usted! ...

CASALONGA. ... Con ese descuento ... El papel vale
más.

1. occurrence   2. third class (railway carriage)   3. discount   4. book-
sellers   5. if I were in your place

FLORENCIO. Lo que vale más es su desahogo [1] de usted, señor mío ...

CASALONGA. ¡Ja, ja, ja! Si no me ofendo, si tienes razón.[2] Pero, ¿ qué quieres? ... ¿ Vas a matarme?

5 FLORENCIO. Por mi parte pondré los medios ... ¿ Usted cree que esto puede quedar así? ... Y si se niega usted a batirse lo llevaré a los Tribunales.

CASALONGA. Deja ese tono trágico. ¿ Un duelo? ¿ Entre nosotros? ¿ Y por qué? ... Será el primer hombre que 10 se ofende porque le dicen que ha tenido relaciones con su mujer ... ¿ No comprendes que eso es ridículo? ¿ Cómo vas a batirte por eso?

ZURITA. En el fondo hay algo de verdad.

FLORENCIO. Patricio nunca pudo escribir esas cartas, 15 y menos a usted.

CASALONGA. Di lo que quieras; las cartas son auténticas ... Ahora que Patricio hiciera una tontería en escribirlas ..., ya es más discutible ... Yo las publiqué por dar un poco de amenidad [3] al libro; al público le gusta 20 siempre la nota intencionada ... Por lo demás, ¿ qué interés tenía yo en molestarte, criatura? ...

ZURITA. ¿ Y qué hace usted con un hombre así?

FLORENCIO. Eso digo yo. ¿ Qué hace usted?

CASALONGA. Ya sabes que yo siempre te he querido 25 mucho ..., porque tienes mucho talento.

FLORENCIO. ¡ Gracias!

CASALONGA. Mucho más talento que el pobre Patricio ..., que era una excelente persona, pero, entre nosotros que estamos en el secreto, un completo besugo.[4]

1. effrontery   2. why should I be offended since you are right
3. agreeableness   4. stupid person

FLORENCIO. ¡ Hombre, no tanto !

CASALONGA. De esas reputaciones que se hacen en
este país. ¡ Si él hubiera tenido tu talento, tu clarísimo
talento !

FLORENCIO. ¡ Hay que dejarle hablar !   5

CASALONGA. Di que tú has sido siempre muy modesto
y te has quedado en la sombra para que él luciera[1] y
brillara. Pero, ¿ quién no sabe que sus mejores discursos
pudo pronunciarlos gracias a ti ?

FLORENCIO. ¡ No me descubras !   10

CASALONGA. Sí, señores, sépanlo ustedes ... Este
hombre era el verdadero talento; él es quien merecía la
estatua ... Este amigo admirable, único ...

FLORENCIO. ¡ Es que no hay modo de reñir con este
hombre !   15

CASALONGA. Por lo demás, yo ahora mismo envío un
comunicado diciendo que esas cartas son apócrifas ...,
lo que tú quieras ..., como tú quieras ... ¡ No faltaba
más ![2] Eso no tiene ninguna importancia ... Yo estoy
por encima de esas miserias ... Y a este sujeto no le des 20
más que lo justo ... A dos reales por ejemplar, lo que él
me ha dado a mí.

VALDIVIESO. No le permito a usted que se entrometa[3]
en mis asuntos ... Es usted un trapisondista.

CASALONGA. ¿ Ha dicho usted trapisondista ? Le 25
advierto a usted que con usted sí me bato. Usted no es
mi amigo. Usted es un explotador[4] de la inteligencia
ajena.

1. that he might glitter   2. The very idea !   3. that you intrude
4. exploiter

VALDIVIESO. ¡Conmigo se atreverá usted! ¡Con un padre de familia! Después de haberme estafado.[1]

CASALONGA. ¿Ha dicho usted estafado? ¿Eso me lo dice usted aquí?

5 VALDIVIESO. En todas partes.

FLORENCIO. ¡Señores, señores! ¡Está usted en mi casa, en casa de mi señora!

ZURITA. ¡Pero Valdivieso!...

CASALONGA. (*A Florencio.*) Te nombro mi padrino, 10 y a usted también, mi querido amigo... ¿Cómo se llama usted?

VALDIVIESO. ¿Pero van ustedes a hacerle caso? ¿Ustedes creen que yo voy a batirme con el primer desahogado que se presente?... ¡Un padre de familia!

15 CASALONGA. ¡No admito explicaciones! ¡Mis amigos se entenderán con los de usted! Que todo quede arreglado esta misma tarde.

VALDIVIESO. ¿Y le oyen ustedes con esa calma? ¿Y serán ustedes capaces de hacerle caso? Es muy cómodo,[2] 20 cuando es usted el que debía batirse, tomarme a mí por cabeza de turco [3]...

FLORENCIO. ¡Amigo Valdivieso! No le tolero a usted apreciaciones sobre mi conducta... Después de todo... ¡si usted no hubiera tratado de lucrarse [4] de mala manera 25 con ese libro, sabiendo que en él se me ofendía gravemente!...

VALDIVIESO. Pero, ¿habla usted en serio?

FLORENCIO. Tan en serio.

---

1. swindled, deceived   2. convenient   3. scapegoat (person who is forced to take the blame belonging to another)   4. profit

CASALONGA. Sí, señor, que hablamos en serio. ¡ Usted ha dado lugar a todo ! Nadie compra sin enterarse. Pudo usted indicarme la indiscreción que yo había cometido . . . Por mi parte, si quieres batirte con él, te cedo mi puesto como primer ofendido . . . Yo tendré mucho gusto en 5 apadrinarte [1] con este querido amigo . . . ¿ Cómo se llama usted ?

ZURITA. Zurita.

CASALONGA. Mi querido amigo Zurita.

VALDIVIESO. Pero, ¿ quieren ustedes volverme loco ? 10 ¡ Por lo visto me han preparado ustedes una encerrona! [2]

FLORENCIO. ¡ Amigo Valdivieso, que no le consiento a usted esas apreciaciones ! En mi casa no se preparan encerronas.

ZURITA. ¡ Ah, y yo tampoco ! Yo no le he traído a 15 usted a ninguna encerrona.

CASALONGA. Ha olvidado usted con quién habla.

VALDIVIESO. ¡ Vaya ! Queden ustedes con Dios. Esto no puede sufrirse . . . Así se agradecen mis buenos oficios . . . Lo que haré es vender el libro . . ., y si no se 20 vende, lo regalo . . . y que lo lea y lo comente todo el mundo . . . ¡ No faltaba otra cosa !

FLORENCIO. Oiga usted, ¿ qué está usted diciendo ? ¡ Pobre de usted si vende un solo ejemplar ! . . .

VALDIVIESO. ¡ No escucho una palabra ! Hagan ustedes lo que quieran . . . Yo haré lo que me parezca. ¡ No 25 faltaba más . . ., no faltaba más ! . . . (Sale.)

FLORENCIO. Deténgale usted.

1. in acting as your second in the duel   2. trap

[119]

CASALONGA. Descuida. Ahora mismo voy a su casa y recojo los ejemplares. Lo que pensabas pagarle por ellos me lo das a mí, que me hace más falta [1] y soy tu amigo... Ese hombre no se ríe de mí... ¡Ah!, y esta 5 noche comemos juntos; te espero en el hotel; no me faltes; mira que si no vienes me presento yo aquí y me convido a comer contigo.

FLORENCIO. ¡No! ¿Qué diría mi mujer? ¡Contenta la tienes!

10 CASALONGA. ¡Bah! Tu mujer ya me conoce y se divertiría mucho... Seguirá tan guapa, tan distinguida, tan inteligente... Y ahora será dichosa... ¡El pobre Patricio tenía tantas rarezas!... Y aquella figura... y le doblaba la edad... Hasta ahora, chico... ¡No sabes 15 lo que me he alegrado de verte! ¡Un amigo como tú! ¡Venga un abrazo! Me conmuevo. Yo soy así... Hasta ahora... Si no vuelvo, es que he pegado a ese hombre y estoy en la cárcel. Ponme a los pies de tu señora [2]... Servidor de usted, amigo... ¡Ah! Zurita... ¡Qué 20 cabeza ésta! Beso a usted la mano. [3] (*Sale.*)

ESCENA X

Florencio, Zurita, después Carolina

FLORENCIO. ¡Usted no habrá visto nada igual nunca! Yo tampoco... Y yo que le conocía de antiguo... Pero ha mejorado mucho en este tiempo...

ZURITA. ¡Es de una frescura épica!

1. because I need it more   2. (This is a polite expression of leave-taking.)   3. I kiss your hand (say good-bye)

FLORENCIO. ¿ Pero qué hace usted con un hombre que toma las cosas de esa manera ? No es cosa de matarle. (*Entra Carolina.*) ¡ Ah ! ¡ Carolina ! ¿ Has oído, te has enterado ? . . .

CAROLINA. Sí . . ., es gracioso en medio de todo.   5

FLORENCIO. Menos mal que Carolina está más conforme.

ZURITA. Habrá oído los piropos [1] . . . ¡ Ese hombre es irresistible !

FLORENCIO. Mira, en resumidas cuentas [2] . . . nadie ha 10 dado importancia al asunto . . . Sólo se habían vendido dos o tres ejemplares.

CAROLINA. Sí . . ., pero uno de ellos a mis cuñadas, que es como si se hubieran vendido cuarenta mil, porque se lo irán contando a todo el mundo.   15

FLORENCIO. Ya contaban antes lo mismo. No te apures.

CAROLINA. De todos modos, yo no me presento mañana en la inauguración, y tú tampoco debes asistir.

FLORENCIO. ¡ Pero mujer !   20

ZURITA. ¡ Ah, la inauguración ! No he tenido tiempo de decírselo a ustedes.

CASALONGA. ¿ Qué ?

ZURITA. Que se ha suspendido.

FLORENCIO. ¿ Cómo ?   25

ZURITA. Sí; a última hora la Comisión se ha alarmado ante las protestas ocasionadas por los desnudos . . . Muchas señoras han visto las fotografías del monumento y

1. compliments   2. in short, briefly

se negaban a asistir. Han convencido al escultor, y por fin consiente en retirar la estatua de la Verdad y en poner una túnica a la Industria y un calzón de baño[1] al Comercio.

CAROLINA. ¡ Cuánto me alegro !

5 ZURITA. Todo esto llevará algunos días. Cuando pasen, la gente se habrá olvidado de todo.

ESCENA XI

Dichos y Casalonga, que entra muy sofocado[2] con los ejemplares, que deja caer de golpe, levantando una nube de polvo.

CAROLINA. ¡ Ay !

CASALONGA. No se asuste usted . . . A los pies de usted . . . Aquí está toda la edición . . . Le he devuelto[3]
10 las mil pesetas que me había dado . . ., ni un céntimo[4] más . . . Ya te lo dije. ¡ No faltaba más ! Ahora, tú verás . . . Yo nada te pido . . . Soy tu amigo. . . . No te digo nada.

FLORENCIO. Cuenta con dos mil pesetas . . . ¡ Pero
15 cuidado con publicar la segunda edición !

CASALONGA. Descuida. Con ese dinero . . . tengo para ser persona decente . . . lo menos . . . lo menos dos meses . . . ¡ Señora mía ! ¿ Usted no recuerda de mí ? El mejor amigo de Florencio y el mejor amigo de Patricio;
20 por lo tanto, el mejor amigo de usted.

CAROLINA. Sí, ya recuerdo.

1. bathing suit   2. out of breath   3. returned   4. centime (one hundredth part of a *peseta*)

EL MARIDO DE SU VIUDA

CASALONGA. He cambiado mucho.

FLORENCIO. No lo creas. No has cambiado nada.

CASALONGA. Usted, en cambio . . ., está lo mismo . . .
¡ Mucho mejor ! En toda la opulencia [1] de su hermosura
espléndida, realzada [2] por la felicidad de un matrimonio 5
venturoso.[3] . . . Quisiera marcharme esta misma noche . . .
¿ Qué hago yo aquí ?

FLORENCIO. No, ya lo has hecho todo. Dentro de un
instante te mandaré eso al hotel.

CASALONGA. Si pudieras añadir un piquillo [4] . . . Para 10
los gastos de viaje. . . .

FLORENCIO. Bueno, hombre; bueno.

CASALONGA. No molesto más. ¡ Señora mía, siempre
suyo ! Amigo Zurita . . ., amigo Florencio . . . No quisiera morirme sin volver a verte. 15

FLORENCIO. Pues yo sí, yo sí; puedes creerlo. . . .

CASALONGA. ¡ Adiós, amigo; adiós ! ¡ Qué diferente
nuestra suerte ! Para ti todo . . ., amor, riquezas, satis-
facciones . . . ¡ No quiero que me veas llorar ! (Sale.)

CAROLINA. ¿ De modo que te cuesta el dinero ? 20

FLORENCIO. ¿ Qué quieres ? Por ti, por evitarte un
disgusto. Estabas tan nerviosa . . . Yo me hubiera batido,
hubiera llevado las cosas al último extremo . . . Zurita lo
sabe.

CAROLINA. ¡ Siempre dije que el monumento nos costa- 25
ría caro ! . . .

FLORENCIO. Ya lo ves. Dos mil pesetas ahora, veinti-
cinco mil que dí para el monumento . . ., el uniforme de

1. richness   2. enhanced, heightened   3. fortunate   4. small amount

[123]

jefe de Administración, que pensaba estrenar [1] en la inauguración. . . .

ZURITA. La gloria cuesta siempre más de lo que vale.

FLORENCIO. No puede uno ser célebre ni de segunda
5 mano.

CAROLINA. ¿ Te pesa?

FLORENCIO. No, Carolina mía. La gloria de ser tu
marido bien vale para mí los inconvenientes de ser el
marido de su viuda.

1. to wear for the first time

Rubén Darío

RUBÉN Darío (1867–1916) was known as a child
prodigy not only in his native Nicaragua, but also
throughout Central America. He spent several years
in Chile working on a newspaper and, upon his return
to Nicaragua, married Rafaela Contreras. However, a
trip to Spain as delegate to the celebration of the anni-
versary of the discovery of America, and the untimely
death of his wife, gave them little time together. Soon
after his return, he was tricked into another marriage
which he tried in vain to have annulled. The remaining
years of his life were spent in newspaper work and foreign
travel. He was consular representative for his country
in Madrid and also in Paris, where he came under the influence of French art and literature. For twenty-five years
he was official correspondent for *La Nación*, an important
newspaper of Buenos Aires. Rubén Darío died of pneu-
monia in Nicaragua following a lecture tour to the United
States.

Recognized leader of the *modernista* school of literature
not only in Spanish America but also in Spain itself, Darío
advocated experimentation in metrical forms, a strong
musical quality in verse and prose, carefully chosen
phrases, and subjective portrayal of personal sensations.
His tales in *Azul* are fantastic, idealistic impressions, and
the poetry of *Prosas profanas* is characterized by exoticism
tempered by innate refinement and the conviction that
truth and beauty are one. "A Margarita Debayle" shows
his use of fantasy, symbolism, and exquisite imagery. It
was written for the young daughter of a French physician
who lived in Nicaragua.

A MARGARITA DEBAYLE

Margarita, está linda la mar,
y el viento
lleva esencia sutil [1] de azahar [2];
yo siento
5 en el alma una alondra [3] cantar:
tu acento.
Margarita, te voy a contar
un cuento.

Éste era un rey que tenía
10 un palacio de diamantes,
una tienda hecha del día
y un rebaño [4] de elefantes,

un kiosco [5] de malaquita,[6]
un gran manto [7] de tisú,
15 y una gentil princesita,
tan bonita,
Margarita,
tan bonita como tú.

Una tarde la princesa
20 vió una estrella aparecer;
la princesa era traviesa [8]
y la quiso ir a coger.

La quería para hacerla
decorar un prendedor,[9]

1. light, subtle   2. orange blossom   3. lark   4. herd   5. small
pavilion, kiosk   6. malachite (a green stone)   7. cloak   8. mischievous,
frolicsome   9. brooch

[126]

con un verso y una perla,
y una pluma y una flor.

Las princesas primorosas [1]
se parecen mucho a ti:
cortan lirios,[2] cortan rosas,   5
cortan astros.[3] Son así.

Pues se fué la niña bella,
bajo el cielo y sobre el mar,
a cortar la blanca estrella
que la hacía suspirar.   10

Y siguió camino arriba,[4]
por la luna y más allá;
mas lo malo es que ella iba
sin permiso del papá.

Cuando estuvo ya de vuelta   15
de los parques del Señor,
se miraba toda envuelta
en un dulce resplandor.[5]

Y el rey dijo: « ¿ Qué te has hecho ? [6]
Te he buscado y no te hallé;   20
y ¿ qué tienes en el pecho,
que encendido se te ve ? » [7]

La princesa no mentía.
Y así, dijo la verdad:
« Fuí a cortar la estrella mía   25
a la azul inmensidad. »

1. exquisite 2. lilies 3. stars 4. the road upward 5. brightness,
radiance 6. What became of you? 7. which is seen aglow on you

Y el rey clama [1]: « ¿ No te he dicho
que el azul no hay que tocar?
¡ Qué locura! ¡ Qué capricho!
El Señor se va a enojar. » [2]

5   Y dice ella: « No hubo intento;
yo me fuí no sé por qué;
por las olas [3] y en el viento
fuí a la estrella y la corté. »

    Y el papá dice enojado:
10   « Un castigo has de tener:
vuelve al cielo y lo robado
vas ahora a devolver. » [4]

    La princesa se entristece
por su dulce flor de luz,
15   cuando entonces aparece
sonrïendo el buen Jesús.

    Y así dice: « En mis campiñas [5]
esa rosa le ofrecí:
son mis flores de las niñas
20   que al soñar piensan en mí. »

    Viste el rey ropas brillantes,
y luego hace desfilar [6]
cuatrocientos elefantes
a la orilla de la mar.

25   La princesita está bella,
pues ya tiene el prendedor

1. shouts, demands   2. be angry   3. waves   4. return   5. fields
6. file past

en que lucen ¹ con la estrella,
verso, perla, pluma y flor.

Margarita, está linda la mar,
y el viento
lleva esencia sutil de azahar: 5
tu aliento.

Ya que lejos de mí vas a estar,
guarda, niña, un gentil pensamiento
al que ² un día te quiso contar
un cuento.   10

1. shine, glitter   2. for the one who

Amado Nervo

THE Mexican poet Amado Nervo (1870–1919) spent a large part of his life abroad, particularly in France and Spain, where he was long a secretary to the Mexican legation in Madrid. In Paris he became an intimate friend of Rubén Darío, traveling with him through Italy. Nervo had studied for the priesthood in his youth but took only minor orders. At the time of his death he was minister to Uruguay, and his body was brought back to Vera Cruz on an Argentine battleship accompanied by cruisers of other nations. All Latin America was represented at his funeral in Mexico City.

Next to Rubén Darío, Nervo is the greatest figure of the *modernista* movement. His prose and poetry, collected into twenty-nine volumes, are distinguished by beauty of style but occasionally marred by obscurity. His poems show great variety both in theme and meter. Religion, even to the point of mysticism, and love of nature are frequent themes in his poetry. The short story given below shows his interest in psychology and reflects the tragedy to the individual of the revolutionary period in Mexico.

UNA ESPERANZA

En un ángulo [1] de la pieza, habilitada de capilla,[2] Luis, el joven militar, abrumado [3] por todo el peso de su mala fortuna, pensaba. Pensaba en los viejos días de su niñez,

1. corner 2. furnished as a chapel 3. oppressed

pródiga [1] en goces [2] y rodeada de mimos.[3] . . . Recordaba
su adolescencia, sus primeros ensueños,[4] vagos como luz
de estrellas, sus amores . . . con la « güerita » [5] de enagua [6]
corta. . . .

Luego desarrollábase [7] ante sus ojos el claro paisaje [8]   5
de su juventud fogosa,[9] sus camaradas alegres y sus relaciones, ya serias, con la rubia de marras,[10] vuelta mujer,
y que ahora porque él volviese con bien,[11] rezaba [12] ¡ ay !
en vano, en vano. . . .

Y, por último, llegaba a la época más reciente de su   10
vida, al período de entusiasmo patriótico, que le hizo
afiliarse [13] al partido liberal, amenazado [14] de muerte por
la reacción. . . .

Iba, pues, a morir. Esta idea, que había salido por un
instante de la zona de su pensamiento, gracias a la ex-   15
cursión amable por los sonrientes [15] recuerdos de la niñez
y de la juventud, volvía de pronto, con todo su horror,
estremeciéndole [16] de pies a cabeza.

Iba a morir . . . ¡ a morir ! No podía creerlo, y, sin
embargo, la verdad tremenda se imponía: bastaba mirar   20
en 'rededor: aquel altar improvisado, . . . y, allí cerca,
visibles a través de la rejilla [17] de la puerta, los centinelas
de vista.[18] . . . Iba a morir, así: fuerte, joven, rico,
amado. . . . ¡ Y todo por qué ! Por una abstracta noción
de Patria y de partido. . . . ¡ Y qué cosa era la Patria ! . . .   25
Algo muy impreciso,[19] muy vago para él en aquellos momentos de turbación [20]; en tanto que la vida, la vida que
iba a perder, era algo real, realísimo, concreto, definido . . .
¡ era su vida !

1. lavish   2. enjoyments   3. caresses   4. illusions, dreams   5. youth-
ful blonde girl (Americanism)   6. skirt   7. was unfolded   8. landscape,
scene   9. fiery   10. long ago   11. safely   12. was praying   13. affiliate
himself with   14. threatened   15. smiling, happy   16. causing him to
tremble   17. grating, latticework   18. prisoners' guards   19. vague,
indefinite   20. confusion

— ¡ La Patria ! ¡ Morir por la Patria ! — pensaba —. Pero es que ésta . . . no sabrá siquiera que he muerto por ella. . . .

Se oyó en la puerta un breve cuchicheo,[1] y en seguida
5 ésta se abrió dulcemente para dar entrada a un sombrío [2] personaje, cuyas ropas se diluyeron [3] casi en el negro de la noche, que vencía las últimas claridades crepusculares.[4]

Era un sacerdote.

El joven militar, apenas lo vió, se puso en pie y exten-
10 dió hacia él los brazos como para detenerlo, exclamando:

— ¡ Es inútil, padre; no quiero confesarme !

Y sin aguardar a que la sombra aquella respondiera, continuó con exaltación creciente:

— No, no me confieso; es inútil que venga usted a
15 molestarse. ¿ Sabe usted lo que quiero ? Quiero la vida, que no me quiten la vida: es mía, muy mía, y no tienen derecho de arrebatármela.[5] . . . Si son cristianos, ¿ por qué me matan ? En vez de enviarle a usted a que me abra las puertas de la vida eterna, que empiecen por no
20 cerrarme las de ésta. . . . No quiero morir, ¿ entiende usted ? Me rebelo [6] a morir: soy joven, estoy sano, soy rico, tengo padres y una novia que me adora; la vida es bella, muy bella para mí. . . . Morir en el campo de batalla, en medio del estruendo [7] del combate, al lado de los com-
25 pañeros que luchan, enardecida [8] la sangre por el sonido del clarín [9] . . . ¡ bueno, bueno ! Pero morir obscura y tristemente, pegado a la barda [10] mohosa [11] de una huerta, en el rincón de una sucia [12] plazuela,[13] a las primeras luces del alba,[14] sin que nadie sepa siquiera que ha muerto uno
30 como los hombres . . . ¡ padre, padre, eso es horrible !

1. whispering   2. sombre, gloomy   3. diffused, mingled   4. twilight
5. to snatch it away from me   6. rebel, revolt   7. turmoil   8. inflamed, excited   9. trumpet, bugle   10. wall (Mexicanism)   11. mouldy, musty, mossy   12. dirty   13. little square   14. dawn

Y el infeliz se echó en el suelo, sollozando.[1]

— Hijo mío — dijo el sacerdote cuando comprendió
que podía ser oído: — yo no vengo a traerle a usted los
consuelos de la religión; en esta vez soy emisario [2] de
los hombres y no de Dios. . . . Yo vengo a traerle justa- 5
mente [3] la vida, ¿entiende usted? esa vida que usted
pedía hace un instante con tales extremos de angustia. . . .
¡La vida que es para usted tan preciosa! Óigame con
atención, procurando dominar sus nervios y sus emociones,
porque no tenemos tiempo que perder: he entrado con el 10
pretexto de confesar a usted y es preciso que todos crean
que usted se confiesa: arrodíllese,[4] pues, y escúcheme.
Tiene usted amigos poderosos que se interesan por su
suerte; su familia ha hecho hasta lo imposible por sal-
varlo, y no pudiendo obtenerse del Jefe de las Armas la 15
gracia de usted, se ha logrado con graves dificultades e
incontables [5] riesgos sobornar [6] al jefe del pelotón [7] encargado de fusilarle.[8] Los fusiles estarán cargados sólo con
pólvora [9] y taco [10]; al oír el disparo,[11] usted caerá como
los otros, los que con usted serán llevados al patíbulo,[12] 20
y permanecerá inmóvil.[13] La obscuridad de la hora le
ayudará a representar esta comedia. Manos piadosas [14] —
las de los hermanos de la Misericordia,[15] ya de acuerdo —
le recogerán a usted del sitio en cuanto el pelotón se aleje,
y le ocultarán hasta llegada la noche, durante la cual 25
sus amigos facilitarán [16] su huída.[17] Las tropas [18] liberales
avanzan sobre la ciudad, a la que pondrán sin duda cerco [19]
dentro de breves horas. Se unirá usted a ellas si gusta.
Conque [20] . . . ya lo sabe usted todo: ahora rece en voz

1. sobbing 2. messenger 3. precisely 4. kneel 5. innumerable 6. to
bribe 7. platoon, squad 8. to shoot, execute 9. powder 10. cotton
wadding 11. discharge, explosion 12. place of execution 13. motionless 14. merciful 15. (a charitable religious order) 16. will make
easy 17. flight 18. troops 19. will doubtless lay siege 20. so then

alta el « Yo pecador »,[1] mientras pronuncio la fórmula de
la absolución, y procure dominar su júbilo [2] durante el
tiempo que falta para la ejecución, a fin de que nadie
sospeche la verdad.

5   — Padre — murmuró el oficial, a quien la invasión de
una alegría loca permitía apenas el uso de la palabra —
¡ que Dios lo bendiga !

Y luego, presa [3] súbitamente de una duda terrible:

— Pero . . . ¿ todo esto es verdad ? — añadió, tem-
10 blando —. ¿ No se trata de un engaño piadoso, destinado
a endulzar mis últimas horas ? ¡ Oh, eso sería inicuo,[4]
padre !

— Hijo mío: un engaño de tal naturaleza constituiría
la mayor de las infamias,[5] y yo soy incapaz [6] de come-
15 terla. . . .

— Es cierto, padre; ¡ perdóneme, no sé lo que digo,
estoy loco de contento !

— Calma, hijo, mucha calma y hasta mañana; yo
estaré con usted en el momento solemne.

20   Apuntaba [7] apenas el alba, . . . cuando los presos [8] —
cinco por todos — que debían ser ejecutados, fueron
sacados de la prisión y conducidos, en compañía del
sacerdote, que rezaba con ellos, a una plazuela terregosa [9]
y triste. . . .

25   Nuestro Luis marchaba entre todos con paso firme, con
erguida [10] frente, pero llena el alma de una emoción des-
conocida y de un deseo infinito de que acabase pronto
aquella horrible farsa.

Al llegar a la plazuela, los cinco reos [11] fueron colocados
30 en fila,[12] a cierta distancia, y la tropa que los escoltaba,[13]

1. sinner ("Yo pecador" is part of the prayer of the confession.) 2. joy
3. prey (*presa* is a noun here) 4. wicked 5. cowardly, wicked deeds
6. incapable 7. began to appear 8. prisoners 9. full of clods 10. erect
11. offenders, criminals 12. in a line 13. was escorting

a la voz de mando, se dividió en cinco grupos de a siete hombres,[1] según previa[2] distribución hecha en el cuartel.[3]

El coronel del Cuerpo,[4] que asistía a la ejecución, indicó al sacerdote que vendara[5] a los reos y se alejase luego a cierta distancia. Así lo hizo el padre, y el jefe del pelotón dió las primeras órdenes con voz seca y perentoria.[6] ... 5

De pronto una espada rubricó[7] el aire, una detonación[8] formidable y desigual llenó de ecos la plazuela, y los cinco cayeron trágicamente en medio de la penumbra[9] semirrosada[10] del amanecer.[11] 10

El jefe del pelotón hizo en seguida desfilar[12] a sus hombres con la cara vuelta hacia los ajusticiados,[13] y con breves órdenes organizó el regreso[14] al cuartel, mientras que los hermanos de la Misericordia se apercibían[15] a recoger los cadáveres.[16] 15

En aquel momento, un granuja[17] de los muchos mañaneadores[18] que asistían a la ejecución gritó con voz destemplada,[19] señalando a Luis, que yacía[20] cuan largo era[21] al pie del muro: 20

— ¡Ése está vivo! Ha movido una pierna. ...

El jefe del pelotón se detuvo, vaciló[22] un instante, quiso decir algo al pillete[23]; pero sus ojos se encontraron con la mirada interrogadora, fría e imperiosa[24] del coronel, y desnudando[25] la gran pistola de Colt, que llevaba ceñida, avanzó hacia Luis, que, presa del terror más espantoso,[26] casi no respiraba, apoyó el cañón[27] en su sien[28] izquierda, e hizo fuego. 25

1. five groups of seven men each   2. previous   3. barracks   4. colonel of the corps (troops)   5. to bind, blindfold   6. decisive   7. marked   8. report   9. shadow   10. of pale rose color   11. dawn   12. file past   13. those who have been executed   14. return   15. prepared   16. corpses   17. urchin, waif   18. early risers   19. shrill   20. was lying   21. at full length   22. hesitated   23. rogue, waif   24. commanding   25. drawing   26. frightful   27. barrel (of gun)   28. temple

Gabriela Mistral

A T the age of sixteen, Lucila Godoy Alcayaga
(1889–   ) was teaching in a village girls' school
in Chile, her native country. Later she became
principal of schools in Santiago, Los Andes, and Punta
Arenas; and still later she went into educational diplomatic work, spending two years about 1922 lecturing and
supervising the establishment of rural schools in Mexico.
She has visited both Europe and the United States.

Some of her best productions are contained in *Sonetos de
la muerte* (1915) and *Desolación* (1922), published under
the name of Gabriela Mistral. She is noted for intensity
of thought and emotion rather than for a polished style.
Her poems are often based on incidents in school life and
show, in turn, a tender sympathy for poor women and for
children, religious mysticism, and patriotism, as in the
selection given below.

LA TIERRA

Danzamos en tierra chilena,[1]
más suave que rosas y miel,[2]
la tierra que amasa [3] a los hombres
de labios y pecho sin hiel [4] . . .

5   La tierra más verde de huertos,
la tierra más rubia de mies,[5]
la tierra más roja de viñas,[6]
¡ qué dulce que roza [7] los pies !

[136]

Su polvo hizo nuestras mejillas,[8]
su río hizo nuestro reír,
y besa los pies de la ronda [9]
que la hace cual madre gemir.[10]

Es bella, y por bella queremos
su césped [11] de rondas albear [12];
es libre, y por libre queremos
su rostro de cantos bañar ...

5

Mañana abriremos sus rocas,
la haremos viñedo [13] y pomar [14];
mañana alzaremos sus pueblos:
¡ hoy sólo sabemos danzar !

10

1. of Chile   2. honey   3. moulds   4. bitterness   5. grain fields
6. vineyards   7. rubs against   8. cheeks   9. it (the earth) kisses the
feet of the dancers (A *ronda* is a dance in a circle.)   10. which makes
her moan like a mother (The subject of *hace* is *que*, referring to *ronda*.)
11. grassy plot   12. to whiten   13. vineyard   14. apple orchard

VOCABULARY

This vocabulary is intended to contain all the words of the text with the following exceptions: cardinal numbers, dependable cognates, and words appearing only once in the text and adequately explained in the footnotes. The gender of nouns, and words used as nouns, is indicated by *m.* or *f.* Repetitions of words or letters are shown by a dash as in **dejar**, *to leave;* — **de** *stop.* Radical-changing verbs are indicated after the infinitive.

A

a to, in, at, for, by

abajo below, down; **más —**, farther down

abandonar to abandon

abierto open

abrazo *m.* embrace; **venga un —**, come embrace me

abrir to open

abrumado oppressed

absolución *f.* absolution, pardon from sin

absorto absorbed in thought, amazed

aburrir to bore

acá here; **hacia —**, this way

acabar to finish, end; **— de** have just

acaecer to happen, come to pass, occur

acariciar to caress

acaso perhaps

acatar to respect; **—se** be accepted

aceite *m.* oil

aceituna *f.* olive

acento *m.* accent, tone, inflection

acertar (ie) to hit the mark, guess right, succeed; **— a** happen, be able to, succeed in

aclarar to clarify, make brilliant

acometer to attack

acompañar to follow, accompany

aconsejar to advise; **—se con** consult

acontecimiento *m.* event

acordar (ue) to agree; **—se** remember

actitud *f.* attitude

activo active

acto *m.* act; **en el —**, at once

actual present, of the present time

actualidad *f.* present time, current interest

acudir to come to the rescue, come up, attend, be present, respond

acuerdo *m.* accord, agreement; **de —**, in accord (with a plan)

Achirana *f. Inca word meaning* "that which runs clearly toward the beautiful"

Adán Adam

adaptar to adapt, fit

adelante onward, beyond; **¡ adelante !** come in! **en —**, forward

además moreover

adiós good-bye

administración *f.* administration

admiración *f.* admiration, wonder

admirador *m.* admirer

admitir to admit, permit

adolescencia *f.* adolescence

adonde, ¿ **adónde?** where, whither, to which

adorar to worship, adore

adquirir to acquire

advertir (ie) to take notice of, observe, warn, point out, instruct

afán *m.* anxiety, eagerness

afanar to toil

afecto *m.* affection

afiliar to affiliate

afirmar to affirm, contend

afligido afflicted, grieving; *m.* afflicted person

afrentar to insult, offend; —**se** be ashamed, blush

agotar to exhaust

agradar to please, be pleasing

agradecer to be grateful for, appreciate

agradecido grateful; **agradecidísimo** very grateful

agrado *m.* agreeableness

agraviar to wrong

agua *f.* water

aguardar to await, wait; — **a que** wait until

agujero *m.* hole

ahí there, yonder, around here

ahogar to drown, choke, suppress

ahora now; — **mismo** just now

airado angrily

aire *m.* air, manner

ajeno another's, foreign, ignorant, contrary

al *contraction of* **a** + **el** to the

ala *f.* wing

alabar to praise

alarma *f.* alarm

alarmar to alarm

alba *f.* dawn

albear to whiten

alboroto *m.* tumult

alcalde *m.* justice of the peace, mayor

alcanzar to reach, succeed, attain, overtake

alegórico allegorical

alegrar to delight; —**se de** be glad

alegre happy, joyful, gay

alegría *f.* joy, mirth

alejar to remove, separate; —**se** leave

algo something; somewhat

alguien someone

alguno (algún) some, any; *pron.* someone; **algún tanto** somewhat

aliento *m.* breath

alma *f.* soul

almohada *f.* pillow

alondra *f.* lark

alrededor around; **a mi —,** around me

alterar to change, disturb

alto high, tall, long, loud; **en —,** on high, in heaven; **en lo —,** in the top part

alzar to raise, lift

allá there, over there; **por —,** that way; **más —,** farther

allí there, thereupon; **por —,** around there

ama *f.* mistress of the house, housekeeper

amable amiable, pleasing, kind

amado beloved; *m.* lover, beloved; **amadísimo** much beloved

amanecer *m.* dawn

amante *m. or f.* lover

amar to love

amargo bitter

amarguísimamente very bitterly

VOCABULARY

amargura *f.* bitterness
amarillo yellow
ambición *f.* ambition
ambicioso ambitious
amenazar to threaten
amenidad *f.* agreeableness
amigo *m.,* **amiga** *f.* friend; *adj.* friendly
amo *m.* master
amor *m.* love
amplio ample, great, broad-minded
anciano ancient; **anciana** *f.* old woman
ancho large, wide
Andalucía Andalusia (*a province in southern Spain*)
andanza *f.* event; **buena —,** good fortune, happiness
andar to walk, go, journey, be, run (*said of machines*); **— todos los patios** pass through the patios; **yo ando muy mal** I am getting along badly
ande (*for* **donde**) where
angélico angelic
ángulo *m.* corner
angustia *f.* anguish
anhelar to covet
animar to incite, encourage
ánimo *m.* spirit, courage, intent
anoche last night
ansioso anxious
ante before, in front of
anterior former
antes before, first; rather, on the contrary; **— de** before
antiguo old; **de —,** from old times; **antiquísimo** very old
añadir to add
año *m.* year; **a los tres —s** after three years; **tener sesenta —s** to be sixty years old
apadrinar to act as second in a duel

aparecer to appear
apartar to remove, withdraw; **—se** go away, step aside
aparte aside, apart
apasionarse to become passionately fond
apellido *m.* surname
apenas scarcely, hardly
apercibir to prepare
apetecer to desire, long for
aplauso *m.* applause
apócrifo apocryphal, false
aposento *m.* apartment, room
apoyar to rest, support
apreciación *f.* valuation, estimation
apreciar to appreciate
aprender to learn
aprobar (**ue**) to approve
aprovechar to profit, help, avail; **—se de** make use of
apurarse to worry, fret
aquel, aquella *adj.* that
aquél, aquélla, aquello *pron.* that, that one
aquese, aquesa, aqueso that
aqueste, aquesta, aquesto this
aquí here; **por —,** this way
árbitro *m.* arbiter, judge
arca *f.* chest
arcipreste *m.* archpriest
ardiente passionate, ardent
ardilla *f.* squirrel
argüir to infer, conclude
arma *f.* arm, weapon
armar to prepare, make ready, set up
armonía *f.* harmony
arrancar to pull out, pull off
arrastrar to drag
arrebatar to snatch away, take away
arreglar to arrange, adjust, fix, regulate, repair; **— las manos** manicure

[141]

arriba above; **hacia —**, upwards
arrodillarse to kneel
arrojar to throw, fling
arrullar to lull
arte *m. or f.* art
artículo *m.* article
artista *m.* artist
artístico artistic
asegurar to affirm, assert, assure
asentarse (ie) to establish oneself
así so, thus, in this manner; **— como** as soon as, just as
asir to seize
asistir to be present, attend, assist
asno *m.* donkey
asomar to appear, show
asombro *m.* surprise
aspa *f.* wing (*of windmill*)
aspiración *f.* aspiration
astro *m.* star
asunto *m.* subject, affair
asustar to frighten
atar to tie
atención *f.* attention, kindness
atender (ie) to pay attention, give heed
atrapar to catch
atrás *behind*
atraso *m.* backwardness
atreverse to dare, venture; **atreverme a mis piernas** dare to trust my legs
atroz atrocious, huge
aun, aún even, yet, still
aunque though, although
ausencia *f.* absence
ausentar to absent
auténtico authentic
auto *m.* dramatic composition; **— sacramental** allegorical *or* religious play for Corpus Christi Day

autopsia *f.* autopsy, examination of a dead body
autor *m.* author
autoridad *f.* authority
auxilio *m.* help
avanzar to advance
avaricia *f.* avarice, miserliness
ave *f.* fowl, bird
avenir to reconcile; **—se** agree
aventura *f.* adventure
Ávila *a city west and a little north of Madrid*
avisar to inform, warn
¡ay! alas! ah!
ayuda *f.* help, aid
ayudar to help, make use of
ayunas (en) before eating breakfast; unexpectedly
ayuno *m.* fasting
azahar *m.* orange blossom
azotar to whip
azul blue, azure

B

bachiller *m.* person who has the bachelor's degree; *a pseudonym used by Larra*
bajar to go down, lower
bajo low; *m.* person of low estate; *prep.* under
bala *f.* ball, bullet
balcón *m.* balcony
banda *f.* edge, side of ship; **por —**, on each side of the ship
bandera *f.* flag
bandido *m.* bandit
bañar to bathe
baño *m.* bath
barato cheap
barco *m.* boat, ship; **¡ — viene!** ship ahoy!
base *f.* base, basis
bastante enough
bastar to suffice, be enough

batalla *f.* battle, conflict
batir to fight; —**se** fight, engage in a duel
bebé (*French word*) baby
beldad *f.* beauty
belleza *f.* beauty
bello beautiful; **bellísimo** very beautiful
bendecir to bless
bendición *f.* blessing
beneficio *m.* benefit, favor
besar to kiss
beso *m.* kiss
bien *m.* good; *pl.* benefits; *adv.* well, willingly; very; — **de aquella manera** just in that way; — **que** although; **si** —, although, though; **con** —, safely
biografía *f.* biography
blanca *f. old Spanish coin, similar to the United States cent*
blanco white
blando soft
blanquecino whitish
boca *f.* mouth; **boquilla** small mouth
bodigo *m.* loaf of white bread (*used in church sacrament*)
bolsa *f.* purse
bombón *m.* bonbon, piece of candy
bonanza *f.* fair weather
bondad *f.* goodness, excellence
bonito fine, pretty
botella *f.* bottle
bravío ferocious, untamed
bravo brave, courageous, fearless, fine; *m.* brave man
bravura *f.* courage
brazo *m.* arm (*part of body*)
breve brief, short; **tan en** —, in so short a time
brillante shining, sparkling
brillar to shine

brincar to skip
brío *m.* energy
brotar to gush forth
brujo *m.* wizard, sorcerer
bueno (**buen**) good
bulla *f.* tumult
burgués *m.*, **burguesa** *f.* bourgeois, citizen
burla *f.* joke, trick
busca *f.* search, pursuit
buscar to look for, seek

C

ca because, for
caballero *m.* gentleman, knight
caballeroso noble, generous
caballo *m.* horse
cabaña *f.* cabin
cabello *m.* hair
cabeza *f.* head
cabo *m.* end; **al** —, finally, at last; **de** — **a rabo** from head to tail, from beginning to end
cada each, every
cadáver *m.* corpse
cadena *f.* chain
Cádiz *seacoast town in southern Spain*
caer to fall; — **con** catch on, discover; —**se** fall down
calabacera *f.* squash vine
calabaza *f.* squash
calderero *m.* tinker, coppersmith
caldo *m.* broth, gravy
calma *f.* calmness; **estar en** —, to be calm
calor *m.* heat, warmth, ardor
calumnia *f.* slander
calumniador *m.* slanderer
calladamente silently
callar to keep silent, be silent
calle *f.* street
callejuela *f.* small street
cama *f.* bed

VOCABULARY

cámara *f.* hall, chamber
camarada *m.* comrade
cambiar to change
cambio *m.* change; **en —,** on the other hand
caminar to walk, move along
camino *m.* road, way; **— arriba** the road upward
camisa *f.* shirt
campaña *f.* country, fields
campiña *f.* field
campo *m.* field, country
canción *f.* song
cansar to tire; **—se** become tired
cantar to sing; *m.* singing
cántaro *m.* large narrow-mouthed jug
canto *m.* singing
cantor *m.* singer, minstrel
cañón *m.* cannon, barrel (*of gun*)
cañuto *m.* tube; **de —,** like a small pipe *or* tube
caoba *f.* mahogany; *adj.* of mahogany
capa *f.* cape, coat
capaz capable
capilla *f.* chapel
capitán *m.* captain
capítulo *m.* chapter
capón *m.* capon, fowl
capricho *m.* whim, caprice
caprichoso capricious, uneven
cara *f.* face, appearance
carácter *m.* character
carcajada *f.* loud laugh
cárcel *f.* prison
carecer to lack; **— de** be lacking in
carga *f.* load; **barco de la —,** freight boat
cargado loaded, full
cargo *m.* burden, weight; **hacerse — de** to take into consideration, understand
caridad *f.* charity

carne *f.* meat
carnero *m.* sheep
caro dear, expensive
carrera *f.* road, course
carta *f.* letter
casa *f.* home, house; **en —,** at home; **en — de** at the house of, at the store of; **— pública** inn; **casita** *f.* little house
casar to marry; **—se** get married
casi almost
caso *m.* case, point, occurrence, event; **hacer —,** to obey, pay attention, mind
castellano *m.* Castilian, Spaniard
castigo *m.* punishment
Castilla Castile (*region in central Spain*)
castillo *m.* castle
casualidad *f.* coincidence
catástrofe *f.* catastrophe
causa *f.* cause, motive
cautiva *f.* captive
cautivar to captivate
cavilación *f.* pondering, reflection, quibbling
cazador *m.* hunter
cazar to hunt
cebolla *f.* onion
ceder to cede, yield
cegar (ie) to blind
célebre celebrated, famous
cenar to sup, eat supper
ceniza *f.* ashes
centinela *m.* sentry, sentinel; **— de vista** prisoner's guard
ceñir (i) to gird
cera *f.* wax
cerca near
cercano near
cercar to draw near
cerco *m.* siege; **poner —,** to lay siege
ceremonioso ceremonious, formal

cerrar (ie) to close
cesar to cease, stop
ciego blind; *m.* blind man
cielo *m.* sky, heaven
cierto certain; **por —,** certainly
cine *m.* motion picture
círculo *m.* circle
circunstancia *f.* circumstance, condition
circunstantes *m. pl.* bystanders
citar to make an appointment with, invite
ciudad *f.* city
civil civil; **casado por lo —,** married by the civil ceremony
clamar to shout, demand
claramente clearly
claridad *f.* clearness, light
clarín *m.* bugle, trumpet
claro bright, clear, obvious; **clarísimo** very clear
clase *f.* class, sort
clavar to fasten, nail
clavo *m.* nail
clérigo *m.* clergyman, cleric
cobarde cowardly; *m.* coward
cobrar to collect, recover
cocer (ue) to cook
coger to catch, fetch, grasp, gather, seize
colegio *m.* school corresponding somewhat to the high school and junior college in the United States
cólera *f.* anger
colgar (ue) to hang
colmar to fulfil
colmo *m.* height
colocar to place, locate, provide, arrange
coloradillo ruddy
Colt *name of a famous make of guns*
comarca *f.* district
combate *m.* combat

comedia *f.* comedy
comentar to comment, comment on
comenzar (ie) to begin
comer to eat, eat dinner
comercio *m.* commerce
cometer to commit
comida *f.* meal
comisión *f.* commission
como like, how, as, as if; **cómo** how
cómodamente comfortably
comodidad *f.* comfort, freedom from want, convenience
cómodo convenient
compadecer to pity
compaña *f.* (*old word*) company, companions, family
compañero *m.*, **compañera** *f.* companion
compañía *f.* company, society
comparación *f.* comparison
comparar to compare
compartir to share
compás *m.* measure; **a —,** in rhythm; **al —,** in the right musical time
compasión *f.* compassion, pity
complacer to please, humor, delight
completo complete
comprar to buy
comprender to understand
comprobar (ue) to verify
compuesto composed
comunicado *m.* article of a personal nature sent to a periodical for publication
comunicar to communicate
con with; **— que** then, so then, likewise
concavidad *f.* hollow, cavity
concebir (i) to understand, realize
conceder to grant, concede

conciliar to conciliate; — el
sueño induce sleep
concluir to conclude, finish
conclusión f. end, conclusion
concreto concrete
concurso m. gathering
concha f. shell
conde m. count
condenar to condemn
condición f. condition, quality
conducir to conduct, take
conducta f. conduct, behavior
confesar (ie) to confess (to a
priest)
confidencial confidential
confitería f. confectionery, candy
shop
conforme resigned, compliant
conmigo with me
conmover (ue) to disturb, stir
up, touch
conocer to know, be acquainted
with, perceive, recognize
conocimiento m. knowledge, understanding
conque so then, and so
conquista f. conquest
conquistador m. conqueror
consagrar to consecrate
conseguir (i) to obtain, get, attain
consejo m. advice, counsel
consentir (ie) to consent, give
way, weaken
conservar to preserve, keep
considerar to consider
consigo with himself, herself, itself, oneself, yourself, themselves, yourselves
consiguiente m. consequence;
por —, consequently
consolación f. consolation
consolar (ue) to console
constar to be clear, be evident
consternado distressed, grieved

constituir to constitute
consuelo m. consolation
contar (ue) to count, reckon, tell,
consider; — con count upon
contemplar to contemplate, examine
contener to contain, restrain
contentar to satisfy
contento, glad, pleased, con-
tented; m. contentment, happiness, pleasure; m. happy
person
contestar to answer
contigo with you
continuamente continually
continuar to continue
continuo continuous; continu-
ously
contra against
contrario contrary; de lo —, on
the contrary; m. contrary
contribución f. contribution
convencer to convince
conveniencia f. conformity, convenience, agreement
conveniente fitting
convenir to fit
conversación f. conversation
convertir (ie) to convert, change
convicto convicted
convidado m. invited guest
convidar to invite
convite m. invitation, banquet,
feast to which persons are
invited; mesa de —, banquet
table
copiar to copy
copla f. stanza, verse, song, short
poem
corazón m. heart
cordial cordial; cordially
corneja f. crow
coronel m. colonel
corporación f. corporation; en —
con in conjunction with

corregidor *m.* Spanish magistrate *or* officer of justice

correr to run, run over; **a todo el — de** at the full speed of

correspondencia *f.* correspondence

corresponder to return a favor; esteem; **ser correspondido** be loved in return

corriente current; **al —,** informed, posted; *adv.* all right

cortar to cut

cortedad *f.* timidity

cortesía *f.* good manners, courtesy

corteza *f.* rind, crust

corto short, small

cosa *f.* thing, matter; **— que comer** anything to eat; **— de** about

cosecha *f.* crop

costado *m.* side

costar (ue) to cost

costoso expensive

costumbre *f.* custom, habit

crecer to increase, grow

crocido large, full

creciente increasing

creer to believe

crepuscular twilight, evening

criado *m.,* **criada** *f.* servant

criar to grow

criatura *f.* creature, child; man

cristal crystal, glass; *m.* windowpane, mirror

cristiano Christian

criticar to criticize

crónica *f.* chronicle

cruzar to cross, pass

cual which, as; **cada —,** each one; **cuál** which one

cualquiera (cualquier) any whatsoever

cuan, cuán (*from* **cuanto,** *used before adjectives and adverbs*)

how, as; **— largo era** at full length

cuando, cuándo when

cuanto, cuánto as much, so much, how much, how many, as much as, all that; **en —,** whenever, as soon as; **en — a** as for; **unos cuantos** a few

cuartel *m.* barracks

cuarto *m.* small copper coin

cubierta *f.* cover, pretense, deceit

cubierto covered, protected

cubrir to cover

cuchara *f.* spoon

cuchillo *m.* knife

cuello *m.* neck

cuenta *f.* account, reckoning; **eso es — mía** I shall pay for it

cuento *m.* story

cuerpo *m.* body, corps (*of troops*)

cuidado *m.* care; **tener —,** to worry; **— con** look out about

cuidar to care, give heed

cuita *f.* trouble

culebra *f.* snake

culpa *f.* blame, guilt; **tener la —,** to be guilty

culpable guilty

cumplimiento *m.* compliment; **—s** formalities

cuñada *f.* sister-in-law

cura *m.* parish priest, rector

curar to cure

curioso curious; *m.* curious person

cuyo of which, of whom, whose

Ch

chaqueta *f.* jacket

chico small; *m.* little one, dear fellow, friend; **chiquito** *m.* little fellow

chismosa *f.* gossip

D

danzar to dance

dañado harmed, injured, damaged

daño *m.* loss, hurt, damage; **hacer** —, to damage

dañoso harmful, injurious

dar to give, strike; — **con** meet, find, encounter; — **en** end in, fall into, strike; — **espuelas** spur on; — **las gracias** thank; — **voces** shout; **dieron las cuatro** it struck four

datos *m. pl.* data

de of, from, to, by, than

debajo below, under; — **de** beneath

deber must, ought, to be necessary, owe; — **de** have to, must

decente decent, well-behaved

decentemente decently, properly

decir to say, tell; **por mejor** —, that is to say

declarar to declare

decoración *f.* decoration, stage setting

decorar to adorn

dedo *m.* finger

deducir to deduce, infer

defender (**ie**) to defend, claim, maintain

defensa *f.* defense

definido definite

dejar to leave, let, abandon; — **de** cease, quit, fail to, stop

delante in front, ahead; — **de** in front of

delicadeza *f.* delicacy, refinement

delicado delicate

delicioso delicious, delightful

demandar to demand, ask for

demás other; **por lo** —, aside

from this; **los** —, others, the rest

demasiado too, too much, more than enough, too many

dende que (*for* **desde que**) since

dentro within, inside; — **de** within; **por** —, inside

denuncia *f.* accusation

derecha *f.* right (*direction*); **por** —, on the right

derecho straight, right; *m.* right, privilege

derramar to pour out

desafiar to challenge to a duel

desaforado huge

desagradable disagreeable

desahogado impudent; *m.* impudent person

desahogo *m.* comfort, ease, laxity

desaire *m.* slight, rebuff

desamparar to abandon, let go

desarrollar to unfold

desastre *m.* disaster

desatar to untie

descanso *m.* quiet, rest, ease

descargar to inflict, unload, strike with violence

desconocido unknown

descubrir to discover, uncover; —**se** be revealed, be made visible

descuento *m.* discount

descuidar not to worry

desde since, from; — **que** ever since; — **hoy más** from today on; — **luego** immediately

desdicha *f.* calamity

desear to desire, wish

desengañar to undeceive, disillusion; **desengáñate** do not be deceived

deseo *m.* desire, eagerness

deseoso desirous

desesperación *f.* despair, despondency

desesperado furious, in despair

desfilar to file past

desgracia *f.* misfortune; **por —,** unfortunately

desgraciado unfortunate, disagreeable, ungrateful

deshora *f.* inconvenient time; **a —,** at an inconvenient time, unfortunately

desigual unequal

desilusionado disillusioned

desistir to leave; **— de** leave, abandon

desmigajar to crumble

desnudar to uncover, draw (*pistol*)

desnudo nude; *m.* nude figure in art

desolación *f.* desolation, intense grief

desolado desolate, disconsolate, grieved

despacio slowly

despecho *m.* spite, despair; **a — de** in defiance of

despedir (**i**) to dismiss; **—se** take leave

despertar (**ie**) to awaken

despojo *m.* plunder, spoils of war

despreciar to scorn

después after, afterwards; **— de** after; **— que** after

destas (*old form for* **de estas**) of these

destinado destined, intended

destino *m.* destiny

destreza *f.* expertness

destruir to destroy

detalle *m.* detail

detener to stop, hold; **—se** stop, delay

detrás behind; **por —,** behind one's back

devoción *f.* devotion

devolver (**ue**) to return, give back

devoto devoted, fond

día *m.* day; **al —,** daily; **todos los —s** every day; **mis —s; el — de —s** birthday, saint's day

diablo *m.* devil

diálogo *m.* dialogue

diamante *m.* diamond

diciembre *m.* December

dicha *f.* good fortune, luck

dicho *m.* saying, expression; *pl.* (*theatrical*) persons who have been in previous scene

dichoso lucky, fortunate, happy

diferente different

difícil difficult; **dificilísimo** very difficult

dificultad *f.* difficulty

dignamente worthily, with dignity

digno worthy; **dignísimo** most worthy

diligencia *f.* diligence, care, industry; activity; **dar —s** to undertake activities

diligente diligent

dinero *m.* money

Dios *m.* God; **por —,** for God's sake

dirección *f.* direction; **con — a** in the direction of

dirigir to direct; **—se a** go to, address

discreto discreet; ingenious

discurrir to invent, contrive

discurso *m.* speech

discutible disputable

disgustado displeased, grieved

disgusto *m.* grief, sorrow, unpleasantness

disimular to pretend (not to notice), overlook, pardon

disparate *m.* mistake, blunder;
pl. nonsense

disparo *m.* discharge, explosion

disponer to direct, dispose

distancia *f.* distance

distinción *f.* distinction

distinguido distinguished

distribución *f.* distribution

divertido amusing

divertir (ie) to divert; —se
amuse oneself

dividir to divide

divino divine

do (*old or poetical form for* donde)
where; a —, where

doblar to double; le doblaba la
edad he was twice her age

docena *f.* dozen

dócil yielding, docile

dolor *m.* pain, sorrow

dominar to dominate, control

dominio *m.* dominion

don *m.* *title of polite address used
before first name*

don *m.* gift

doncella *f.* young lady, maiden

donde, dónde where, in which;
¿a dónde? ¿adónde? whither?

doña *f.* *title of polite address used
before first name*

dormir (ue) to sleep; —se go to
sleep

dote *m. or f.* dowry; *pl.* gifts,
talents

duda *f.* doubt

dudar to doubt

duelo *m.* duel

dueño *m.* owner, master

dulce sweet

dulcemente softly, gently

duque *m.* duke

durante during

durar to last

duro *m.* *coin equal in value to five
pesetas*

E

eco *m.* echo

echar to cast, throw, stretch out,
throw out; put on; —se a
begin, set about; — de ver
notice; — la cuenta count,
reckon; — de tierra exile

edad *f.* age; primera —, early
years

edición *f.* edition

educación *f.* education

efectivamente in fact

efecto *m.* effect; en —, in fact,
actually

eh eh, here

ejecución *f.* execution, tech-
nique

ejecutar to execute

ejemplar exemplary, model; *m.*
copy of a book, example,
model

ejercicio *m.* exercise

ejército *m.* army

el the; that; — que he who

él he, him, it

elefante *m.* elephant

elegante elegant

elemento *m.* element, ingredient

elogio *m.* praise

ella she, her, it

ello it

ellos, ellas they, them

embargo (sin) nevertheless

embestir (i) to attack, assail

emisario *m.* messenger

emoción *f.* emotion

emocionado moved, touched

empeño *m.* determination

empezar (ie) to begin

empleado *m.* employee

empleo *m.* position, employment

emprender to undertake

en in, on, about

enamorado enamored, loving;
m. lover, lovesickness
encantado enchanted, delighted
encargar to charge, order
encendido inflamed, aglow
encerrar (ie) to confine, enclose
encerrona *f.* voluntary retreat;
preparar a uno una —, to set a
trap for someone
encima above; **por** — **de** over,
above, superior
encomendar (ie) to recommend,
commend; —**se a** commit oneself to the protection of
encontrar (ue) to meet, find;
—**se** meet
ende (**por**) therefore
endulzar to sweeten
enemigo *m.* enemy; *adj.* enemy
enemistad *f.* enmity
energía *f.* energy
enfermar to get sick, fall ill; —
de la garganta have throat
trouble
enfermo ill, sick
enfrente opposite, in front; **de**
—, opposite
enfriar to cool
engañar to deceive
engaño *m.* deceit, deception;
misapprehension
engramear (*old Spanish*) to
shake
enojar to become angry
enojo *m.* anger
enojoso vexatious, troublesome;
m. irritating person
enriquecer to grow rich, enrich
enseñar to teach
ensueño *m.* dream, illusion
entender (ie) to understand,
think; — **en** inquire into;
—**se con** come to an understanding

entendimiento *m.* mind, understanding
enterar to inform, acquaint
entero entire
enterrar (ie) to bury
entonar to inflate; modulate;
sing in tune
entonces then
entrada *f.* entrance
entrar to enter
entre between, among, within
entregar to deliver, hand over
entretenido entertained; **estar**
—, to have a fine time
entristecerse to grieve, become
sad
entusiasmo *m.* enthusiasm
envejecerse to grow old
envestir (i) to cover, invest
enviar to send
envolver (ue) to wrap up, envelop
épico epic
epílogo *m.* epilogue
época *f.* epoch, time
erguido erect
escalar to scale, climb over
escapar to escape; —**se** escape
escaso small, short
escena *f.* scene
esclavo *m.* slave; *adj.* enslaved
escogido select, chosen
esconder to hide
escribir to write
escritor *m.* writer
escuchar to listen
escudero *m.* squire (*of knight*)
escultor *m.* sculptor
ese, esa *adj.* that
ése, ésa, eso *pron.* that, that
one; **a eso de** toward, about
esencia *f.* essence, perfume
esforzar (ue) to strengthen; —**se**
make an effort
esfuerzo *m.* courage, spirit, vigor

espacio *m.* space, interval of time

espada *f.* sword

espantable frightful, terrible

espantar to frighten, astonish

espantoso frightful, dreadful

España Spain

español Spanish; **a la española** in Spanish fashion

especial special; **en —**, especially

especie *f.* sort, kind

espectador *m.* spectator

esperanza *f.* hope

esperar to hope, expect, wait, wait for

espíritu *m.* spirit, soul

espléndidamente splendidly, magnificently

espléndido splendid

esplendor *m.* splendor

esposa *f.* wife; *pl.* handcuffs

esposo *m.* husband

espuela *f.* spur; **dar de —s** to spur on

establecer to establish

estado *m.* state, condition

estar to be; **— bien** be all right; **—se** remain

estatua *f.* statue

este, esta *adj.* this

éste, ésta, esto *pron.* this, this one; **en esto** at this moment

estimar to esteem

estío *m.* summer

estorbar to hinder, disturb

estrechez *f.* narrowness; intimacy; austerity; poverty

estrecho *m.* predicament

estrella *f.* star

estremecer to shake, cause to tremble

estruendo *m.* clamor, turmoil

estudiante *m.* student

estupendo wonderful, stupendous

eterno eternal

etiqueta *f.* formality, etiquette; label; **no te andes con —s** don't stand on ceremony

Europa Europe

Eva Eve

evitar to avoid

exacto exact

exagerar to exaggerate

exaltación *f.* exaltation, excitement

examinar to examine, consider

excavación *f.* hole

excelente excellent

exclamar to exclaim

excursión *f.* excursion

excusado unnecessary

excusar to excuse, do without, refrain from, avoid

exigir to require, demand

exir (*old Spanish*) to go out

existencia *f.* existence

existir to exist, dwell

experiencia *f.* experience

explicación *f.* explanation

explicar to explain

exponer to explain, expose

extender (**ie**) to extend

extranjero foreign; *m.* foreigner, foreign countries

extrañar to wonder at, blame

extraordinario extraordinary, unusual

extremo extreme; *m.* extremity, end, highest degree

F

fabricar to build

fábula *f.* fable

fácil easy

facilidad *f.* facility, ease

facilitar to facilitate, make easy

falcón *m.* (*old form for* **halcón**) falcon

falsedad *f.* falsehood, deceit, perfidy

falso false

falta *f.* lack, want, fault; **hacer —**, to need

faltar to lack, fail, be needed; **me faltó tiempo** I needed nothing but the time; **no faltaba más** the idea !

fama *f.* fame, reputation

familia *f.* family

famoso famous

fantasía *f.* fancy, imagination

farsa *f.* farce

faz *f.* face, surface

fe *f.* faith; **a —**, in truth

felicidad *f.* happiness

feliz happy

fenecer to die, finish

feroz fierce

ficción *f.* fiction, invention

fiero fierce, cruel, savage

figura *f.* figure, looks, shape

figurar to figure, fashion; **—se** imagine, fancy

fijar to fix; **—se** notice

fila *f.* line, row

filósofo *m.* philosopher

fin *m.* end, ending; **a — de** in order that; **al —**, at last, after all; **en —**, finally, after all, in short

finalmente finally

fineza *f.* fineness, elegance, fine manners, delicate expression of friendship

fingir to pretend

finura *f.* fine manners

firma *f.* signature

firme firm, solid; **en —**, in final form

flaco weak

flaqueza *f.* weakness

flor *f.* flower

fonda *f.* inn

fondo *m.* bottom; **en el —**, in substance

forma *f.* form

formal formal, grave

fortuna *f.* fortune

fotografía *f.* photograph

frac *m.* dress coat; **— de color** black dress coat

francés (*fem.* **francesa**) French

francesa *f.* French woman

Francia France

franco frank

franqueza *f.* frankness

frente *f.* forehead; **a su —**, straight ahead; **de —**, facing, in front; **en —**, directly opposite

fresco fresh, cool

frescura *f.* freshness

frío cold

frívolo trifling, frivolous

frontera *f.* border, frontier

fruta *f.* fruit

fruto *m.* fruit, produce

fuego *m.* fire; **hacer —**, to fire (*a gun*)

fuera outside; **— de** out of; **por —**, outside

fuero *m.* law, statute law; **los —s** rights, laws, privileges

fuerte strong

fuertemente strongly

fuerza *f.* force, strength; **a — de** by dint of

Fulano *m.* (*name similar to Mr. X*) Mr. So-and-So

funesto gloomy

furia *f.* fury, rage

furioso furious

furtivo furtive, sly

fusil *m.* gun, rifle

futuro future

G

galán gallant; *m.* fine young man

Galicia *province in the north-western corner of Spain*
galopar to gallop
galope *m.* gallop; **a todo el —,** at full speed
gallina *f.* hen
ganado *m.* livestock, cattle
ganar to earn, gain, win
garganta *f.* throat
garrotazo *m.* blow (*with a club or stick*)
garrote *m.* club, stick
gastar to spend, waste
gasto *m.* expense
gaucho *m.* cowboy (*of the Argentine plains*)
gemir (i) to moan
generoso noble, magnanimous
genio *m.* character, nature, genius
gente *f.* people
gentil genteel, exquisite
gigante *m.* giant
gloria *f.* glory
glorioso glorious
glosa *f.* gloss; comment; **hablando sin —,** speaking plainly
gobernador *m.* governor
gobernar to govern
gobierno *m.* government
goce *m.* enjoyment
golondrina *f.* swallow (*bird*)
goloso fond of sweetmeats (candy)
golpe *m.* blow; **de —,** all at once
gordo rich, fat; **lo —,** the rich part; *m.* fat man
gota *f.* drop
gozar to enjoy, rejoice
gozoso joyful
gracia *f.* grace, pardon; *pl.* thanks
gracioso graceful, pleasing, funny
grado *m.* degree, class; pleasure; **de buen —,** willingly

graduar to measure, estimate
Granada *city in southern Spain and the last stronghold of the Moors*
grande (**gran**) great, large; **grandísimo** very large; **los grandes** adults, grown persons; **grande** *m.* grandee, noble of high rank
gratitud *f.* gratitude
grave grave, serious
gravemente gravely, seriously
gremio *m.* guild, corporation
griego *m.* Greek
gritar to cry, shout
grupo *m.* group
guapo good-looking, handsome
guardar to watch, guard, keep
guerra *f.* war
guerrero *m.* warrior
guiar to guide; **ir guiando** be guiding
guindilla *m.* (*colloquial*) policeman
guisar to cook
guitarra *f.* guitar
gusano *m.* worm
gustar to be pleasing, be liked
gusto *m.* taste, pleasure

H

haber to have; **— de** be to, must; **— que** have to, be necessary; **hay** there is, there are; **no hay que comer** there is nothing to eat; **había** there was, there were
habilidad *f.* ability
habilitado equipped, furnished; **— de capilla** furnished as a chapel
habitante *m.* inhabitant
habitar to live, dwell
hábito *m.* dress, disguise

habla *f.* language, conversation, speech
hablador talkative; *m.* talker, chatterbox
hablar to speak, tell
hacer to make, do; — **caso** obey, pay attention; — **la vía** make one's way, journey, go along the road; **hace un instante** a moment ago; **hágame usted el favor** please
hacia toward
hacienda *f.* property, wealth
halcón *m.* falcon (*used for hunting other birds*)
hallar to find
hambre *f.* hunger
harto enough, sufficient; *pl.* numerous
hasta until, up to; even; — **ahora** I shall see you in a very short time; — **que** until
hastío *m.* disgust
¡ he ! ha ! (*indicates laughter*)
heredad *f.* property, farm
herir (ie) to wound
hermana *f.* sister
hermano *m.* brother
hermoso beautiful, lovely, handsome
hermosura *f.* beauty
heterogéneo heterogeneous, unlike
hidalga *f.* noblewoman
hidalgo *m.* nobleman
hiel *f.* bitterness, gall
hielo *m.* ice, icy blast
hija *f.* daughter
hijo *m.* son; *pl.* children
hipótesis *f.* hypothesis, supposition
historia *f.* history, story
historieta *f.* short story *or* narrative
hogar *m.* home, hearth

hoja *f.* leaf, spear (of grass)
hola hello ! ho !
holgar (ue) to take satisfaction; —**se** amuse oneself, satisfy oneself
hombre *m.* man
hombro *m.* shoulder
hondamente deeply
honra *f.* honor
hora *f.* hour; **a estas** —**s** by this time; **horita** short hour
horroroso horrible, terrible
hortelano *m.* gardener
hoy today, now
hueco *m.* hole
huerta *f.* garden
huerto *m.* orchard
hueso *m.* bone, pit (*of olive*)
huevo *m.* egg
huída *f.* flight
huir to flee
humildad *f.* humility
humilde humble
humildemente humbly, modestly
humillarse to humble oneself
humo *m.* smoke
humorista *m.* humorist

I

ida *f.* going
identificar to identify
ignorar to be ignorant of
igual equal, same; **por** —, equally
ilusión *f.* illusion
ilusorio illusive, that which cannot be realized
ilustre famous
imagen *f.* image
imaginar to imagine
impaciente impatient; *m.* impatient person
impedir (i) to prevent
imperial imperial, royal

imperioso commanding
imponer to impose
importancia *f.* importance
importar to be important, concern; **no importa** never mind; **eso no importa nada** that is of no importance; **¿ qué importa?** what difference does it make?
importe *m.* amount, price, sum
imposible impossible
impreciso vague, indefinable
imprimir to impress, imprint
improvisar to improvise
impulsado impelled
inauguración *f.* inauguration
inaugurar to inaugurate
incapaz incapable
inclinación *f.* inclination, tendency
inclinarse to bow
incomodar to inconvenience; vex, anger
inconveniente inconvenient, undesirable; *m.* inconvenience
incorrecto incorrect
indecente indecent, immodest
indicar to indicate
indiferente indifferent; *m.* indifferent person
indigno unworthy
indiscreción *f.* indiscretion, imprudence
indisposición *f.* indisposition, slight ailment
índole *f.* disposition
industria *f.* industry
infame wicked, infamous
infamia *f.* infamous, wicked act
infeliz unhappy; *m.* unhappy man
infierno *m.* inferno, pandemonium
infinidad *f.* infinity, infinite number

infinito infinite
ingenio *m.* cleverness, skill
inglés English; *m.* Englishman
inicuo wicked
inmediato immediate
inmensidad *f.* immensity
inmenso immense
inmóvil motionless, perfectly still
inocente innocent, harmless
inolvidable unforgettable; *m.* unforgettable one
insinuante insinuative, crafty, sleek
insistir to insist
insolente insolent
insoportable unbearable
insostenible indefensible
inspirar to inspire
instalación *f.* installation
instante *m.* instant, moment; **al —,** immediately; **hace un —,** a moment ago
insultar to insult
inteligencia *f.* intelligence
inteligente intelligent
intencionado disposed; earnest; lively
intentar to try
intento *m.* purpose, design
interés *m.* interest
interesante interesting
interesar to interest
interminable endless
interpretar to interpret
interrogado *m.* person questioned
interrogador questioning
interrogar to ask
interrumpir to interrupt
intimidad *f.* intimacy
íntimo intimate
inútil useless, needless
invasión *f.* invasion, attack
invitar to invite
ir to go; **— cortando** be cutting;

— **diciendo** be saying; **con usted no va nada** there is no offense as far as you are concerned; —**se** go away, go; **se va** one goes

Italia Italy

izquierda *f.* left

izquierdo left

J

¡ **ja** ! ha ! (*indicates laughter*)

jamás never

jardín *m.* garden

jefe *m.* chief

Jesús Jesus; (*used as an exclamation*) gracious !

joven young; *m. or f.* youth, young person

jugar (ue) to play

junio *m.* June

juntarse to come together, join one another

junto together

jurar to swear

justamente justly, exactly, precisely

justicia *f.* justice, magistrate, officer of justice

justo just, right

juventud *f.* youth

juzgar to judge

L

la the; that; her, it; to her; — **de Somolinos** the wife of Somolinos

labio *m.* lip

labrador *m.* laborer, peasant

labrar to construct, carve, cultivate (*land*)

lado *m.* side

ladrón *m.* thief

lagaña *f.* blearedness (*of eyes*)

lágrima *f.* tear

lanza *f.* lance

lanzada *f.* thrust with a lance

largo long

las the; them; those

lástima *f.* pity; ¡ — **de mis calabazas** ! my poor squashes !

lastimar to hurt, wound, offend

le him, you; to him, to her, to you, to it

lector *m.* reader

leche *f.* milk

lechera *f.* milkmaid, dairymaid

leer to read

legua *f.* league (*about three miles*)

legumbre *f.* vegetable

lejos far

lengua *f.* tongue

lento slow

León *province in northwestern Spain*

les to them, to you

letra *f.* letter; penmanship

letrilla *f.* short poem (*which may be set to music*)

levantar to raise; —**se** get up, arise; **levantóse** there arose

levo slight

ley *f.* law

libelo *m.* libel, slanderous writing

libertad *f.* liberty

libraco *m.* large ugly book

librar to free, deliver

libre free, liberal

librería *f.* bookstore

librero *m.* bookseller

libro *m.* book

ligeramente lightly, easily, quickly

limpiamente cleanly, purely

limpio clear, clean; **en** —, clear, all expenses paid; **limpísimo** exceedingly clean

linaje *m.* lineage, race

lindeza *f.* beauty

lindo pretty

lío *m.* bundle, parcel

lisonjero flattering

literario literary

lo the; it, him, you; — **que** what, that which

loco insane, foolish; *m.* lunatic, foolish person

locura *f.* madness, folly

lograr to obtain, gain, succeed in

los the; them; those

lucido shining, magnificent

lucir to shine, glitter, display

lucrar to profit; —**se** enrich

luchar to struggle

luego immediately, presently, then, later

lugar *m.* place, occasion; **haber** —, to take place

Luis Louis

lumbre *f.* light

luna *f.* moon

luz *f.* light

Ll

llamar to call, name; —**se** be called, be named

llanto *m.* weeping

llave *f.* key

llegar to arrive

llenar to fill

lleno full

llevar to take, carry, bear, wear, spend (*time*); —**se** carry along, carry off

llorar to weep, lament

M

madera *f.* wood

madre *f.* mother

maestra *f.* teacher

majestad *f.* majesty

majestuoso majestic

mal poorly, badly, bad; *m.* illness, complaint, evil

maldad *f.* wickedness

maldecir to curse

maldito accursed

maleficio *m.* trick, charm, spell

malo (mal) bad

malquerida *f.* one disliked *or* against whom a grudge is held

maltratar to mistreat, abuse

malvado *m.* villain

manantial *m.* spring

manchar to stain, spatter

mandar to order, command, promise

mando *m.* command

manera *f.* manner, way; **de** — **que** in such a way that

manga *f.* sleeve

mano *f.* hand

mantel *m.* tablecloth

manto *m.* cloak, mantle

Manuela *girl's name*

mañana *f.* morning; *adv.* to-morrow

máquina *f.* machine, apparatus

mar *m. or f.* sea

maravedí *m. small old Spanish coin*

maravilla *f.* marvel, wonder; **a** —, marvelously

maravillar to marvel, amaze, surprise, wonder at

maravilloso marvelous

marchar to leave, go away, walk; —**se** go away

marido *m.* husband

marqués *m.* marquis

mas but

más more, most

matador *m.* killer, murderer

matar to kill

materialmente bodily, in a material way

matrimonio *m.* married couple
mayor greater, greatest
me me, to me, myself, to myself
mediar to be half gone, reach the middle of
medio half, middle; *m.* middle, midst, means, way; **en — de** in the middle of
mejilla *f.* cheek
mejor better, best
mejorar to improve
melancólicamente sadly
memoria *f.* memory
menear to hustle about, move
menester *m.* necessity; **ser —,** to be necessary
menor less, least; younger, youngest
menos less, least, least of all; **a lo —,** at least
mentir (ie) to lie, deceive
mentira *f.* lie
mercado *m.* market place
merced *f.* grace, favor; **vuestra —,** Your Honor, sir
merecedísimo very much deserved, very worthy
merecer to deserve
mes *m.* month
mesa *f.* table
mesurado moderate, restrained
meter to put, place; **—se a** set about to, undertake to
mezclar to mix, mingle
mi my
mí me, myself; **para —,** to myself
miedo *m.* fear; **tener —,** to be afraid
miel *f.* honey
mientras while; **— que** while
milagroso miraculous
militar *m.* soldier
mimo *m.* caress, petting, indulgence

minuto *m.* minute
mío (*sometimes used before the noun in old Spanish*) my, mine
mirada *f.* look, glance
mirar to look, look at, see
misa *f.* Mass
miseria *f.* misery, poverty
misericordia *f.* mercy; *a charitable religious order*
mísero miserable
mismo same; very; self
mitad *f.* half
modelo model
moderar to restrain, moderate
modernista *referring to the modern poetical movement which sought to reform poetry in the direction of freer verse form and more beautiful choice of words*
modesto modest; **modestísimo** very modest
modo *m.* manner; **de — que** so that, and so
molestar to bother, disturb
molino *m.* mill; **— de viento** windmill
momento *m.* moment
monarca *m.* monarch, ruler
monasterio *m.* monastery
moneda *f.* coin
monja *f.* nun
monje *m.* monk
monólogo *m.* monologue
Montaña *mountainous region in northern Spain bordering on the Bay of Biscay*
monte *m.* mountain; wood
monumento *m.* monument
morder (ue) to bite
morir (ue) to die; **—se** be dying
moro *m.* Moor
mortificación *f.* mortification, humiliation
mosca *f.* fly
mosquito *m.* mosquito, gnat

mostrar (ue) to show, point out
motivo *m.* motive, reason, motif, theme
mover (ue) to move; —**se** move about
movimiento *m.* movement
moza *f.* maid, servant
mozo *m.* youth, lad, servant
muchacho *m.* boy
mucho much; *pl.* many; *adv.* much
mudado moulted (*said of birds*); changed
mudanza *f.* change
mudar to change; —**se** change
mudo mute, silent; *m.* mute person
muelle *m.* wharf
muerte *f.* death
muerto dead
mujer *f.* woman, wife
multitud *f.* multitude
mundo *m.* earth, world, society, great multitude of people; **todo el** —, everybody; **gran** —, high society
murmuración *f.* gossip
murmurar to murmur
muro *m.* wall
música *f.* music
mutilado mutilated
mutuamente mutually
mutuo mutual
muy very

N

nacer to be born
nación *f.* nation
nacional national
nada nothing
nadie no one, nobody, anyone
naides (*for* **nadie**) nobody
naranja *f.* orange
natural natural; *m.* native

naturaleza *f.* nature
navegar to sail
navío *m.* ship, warship
necedad *f.* stupidity
necesidad *f.* necessity, need
necesitar to need, be necessary
necio stupid, foolish; *m.* stupid *or* foolish person
negar (ie) to deny; —**se** refuse
negligencia *f.* negligence, carelessness
negocio *m.* business, bargain
negro black, dark; *m.* negro, blackness
nervio *m.* nerve
nervioso nervous
ni neither, not even; **ni ... ni** neither ... nor
nido *m.* nest
niebla *f.* fog, mist
ninguno (**ningún**) no, not any; **ninguna cosa** in no way; *pron.* no one
niña *f.* girl, little girl
niñez *f.* childhood
niño *m.* child, boy
no no, not
noble noble; *m.* nobleman
nobleza *f.* nobility, nobleness
noción *f.* notion, idea
noche *f.* night
nombrar to name
nombre *m.* name; **de** —, by name
non *old form for* **no**
nos us, to us, to each other, ourselves, to ourselves
nosotros, nosotras we, us
nota *f.* note
noticia *f.* news, information
novedad *f.* news, surprise
novela *f.* novel, romance
noveno ninth
novia *f.* sweetheart
nube *f.* cloud

nuestro our, ours
nuevo new; **de —**, again
número *m.* number
nunca never

O

o or; **o ... o** either ... or
obligar to obligate, oblige
obra *f.* work, act
obscuridad *f.* obscurity, darkness
obscuro dark, obscure
obsequio *m.* favor, respect
observación *f.* observation
observar to observe
obtener to obtain
ocasión *f.* occasion
ocasionar to cause, occasion
ocultar to hide
ocupar to occupy
ocurrencia *f.* incident, event, occurrence
ocurrir to happen, occur; **—se** occur
odioso hateful, odious
ofender to offend
ofendido *m.* person who is offended
ofensa *f.* offense
oficial *m.* officer, official
oficina *f.* office
oficio *m.* duty, service, work, office
ofrecer to offer
oído *m.* ear, sense of hearing
oír to hear
ojo *m.* eye
ola *f.* wave
olvidar to forget
omnipotente all-powerful, omnipotent
opinar to think, be of the opinion
oponer to oppose
opulencia *f.* richness

oración *f.* prayer
orden *f.* order
ordenado *m.* one who has been ordained *or* has received church orders
ordenar to arrange
ordinario usual, ordinary; *m.* daily household allowance
organizar to organize
orgulloso proud
Oriente *m.* Orient, East
origen *m.* origin
orilla *f.* shore
oro *m.* gold, ornament
os you, to you
ostentación *f.* show, ostentation
otro other, another; **unos a otros** to each other

P

paciencia *f.* patience
pacífico pacific, peaceful
Pachacutec *Inca ruler of the fifteenth century who added the southern part of Peru to the Inca kingdom*
padecer to suffer
padecimiento *m.* suffering
padre *m.* father, priest; *pl.* parents
padrino *m.* second (*in a duel*)
pagano pagan
pagar to pay, pay for
página *f.* page
pago *m.* district, farm; payment
país *m.* country
paisaje *m.* landscape, scene, panorama
paja *f.* straw
pájaro *m.* bird
palabra *f.* word; *pl.* speech
palacio *m.* palace
palma *f.* palm tree, leaf of a palm tree

palo *m.* stick

paloma *f.* dove

pan *m.* bread, loaf of bread

Pandemonio *m.* tumult

pañuelo *m.* kerchief, handkerchief

papa *m.* pope

papá *m.* papa, father

papel *m.* paper

par equal; a — de on a par with, equal to

para for, to, in order to, toward; — de aquí en adelante from here on; — con compared with; — que in order that

paraguas *m.* umbrella

parar to stop; —se stop, halt

parecer *m.* opinion; *verb* to appear, seem, resemble; lo que me parezca that which seems best to me; —se a resemble

parecido similar; *m.* resemblance

pared *f.* wall

parque *m.* park

parte *f.* part, place; ninguna —, nowhere, anywhere; por todas —s everywhere

participar to participate

particular peculiar, special, odd; ¿ qué tiene de —? what is there odd about that?

partida *f.* departure; item in an account, sum of money

partido *m.* party; match; agreement

partir to leave, set out on a journey; divide, share

pasado past; *m. pl.* ancestors

pasajero *m.* passenger

pasar to pass; endure; overlook; que pase let him come in; —se pass away

pasatiempo *m.* pastime

pasearse to take a walk

paseo *m.* walk

pasión *f.* passion

paso *m.* pace, step; al — que while; de — que at the same time that; *adv.* gently, softly

pastor *m.* shepherd

patio *m.* courtyard

patria *f.* native country, fatherland

patriótico patriotic

patriotismo *m.* patriotism

pausa *f.* pause

pavo *m.* turkey

paz *f.* peace

pecado *m.* sin

pecador *m.*, pecadora *f.* sinner

pecho *m.* chest, bosom; quality and strength of the voice; dar —a to yield, pay tribute to

pedazo *m.* piece

pedir (i) to ask, ask for

pegar to strike, beat; fasten

peligro *m.* danger

peligroso dangerous

pelo *m.* hair

pelotón *m.* platoon, squad of soldiers

pena *f.* sorrow, grief, suffering, punishment

pendón *m.* standard, banner

pensamiento *m.* thought, mind

pensar (ie) to think, plan; — de consider; — en think about

pequeño little, small

percibir to receive

perder (ie) to lose, neglect

perdición *f.* perdition, wicked living

pérdida *f.* loss

perdonar to pardon

perfectamente perfectly

perfecto perfect

período *m.* period

perla *f.* pearl

permanecer to remain

permiso *m.* permission
permitir to permit
pero but, yet
perpetuar to perpetuate
perpetuo perpetual, everlasting
perro *m.* dog; **perrito** little dog
persecución *f.* persecution
perseguido persecuted, pursued
persona *f.* person
personaje *m.* personage, character (*in play*)
persuadir to persuade
pertenecer to belong
peruano Peruvian, of Peru
pesar to grieve; *m.* grief, sorrow; **mal —,** injury, harm; **a — de** in spite of
peseta *f. Spanish coin worth about nine cents in 1941. Before 1914 it was worth twenty cents.*
peso *m.* weight, burden
piadoso pious, kind, merciful
picar to pick, prick; **—se** be annoyed
pícaro rascally; *m.* rogue
pico *m.* peak; beak; corner
pie *m.* foot
piedra *f.* stone; **— del molino** millstone; **piedrecilla** *f.* little stone, pebble
piel *f.* skin, fur
pierna *f.* leg
pieza *f.* piece, room (*in a house*)
pillete *m.* rogue
pintar to paint, dye
pío *m.* (*sound made by chickens*) cheep! cheep!
piquillo *m.* small amount
pirata *m.* pirate
pistola *f.* pistol
placer to please; *m.* joy, pleasure
plata *f.* silver
plato *m.* plate, dish

playa *f.* shore
plaza *f.* plaza, town square
plazuela *f.* small square
pluma *f.* pen, feather
pobre poor; *m.* poor person; **pobrecito** poor little; *m.* poor little fellow
pobreza *f.* poverty
poco few, small, little; *adv.* little, briefly; **de — a —,** immediately; **de — en —,** little by little; **— a —,** slowly, gradually
poder to be able, can; *m.* power
poderoso powerful
poema *m.* poem
poesía *f.* poetry
poeta *m.* poet
policía *f.* policing, police
político political
polvo *m.* dust
pollo *m.* chicken
poner to put, place, arrange, put on; **—se** become, turn; **—se a** begin to; **—se a los pies de su señora** say good-bye to his wife; **—se en pie** arise
popa *f.* stern, rear end (*of ship*)
por for, by, through, in, to, because of, in order that; **— cuanto** inasmuch as; **¿ — qué?** why? **— si** against the chance that
porfiado obstinate, stubborn
porfiar to insist
porque because, in order that
posar to lodge, come to rest
posible possible
posición *f.* position
postura *f.* position
prado *m.* pasture ground, meadow
precaución *f.* precaution
preciar to value; **—se de** esteem himself highly as

precioso precious, valuable

precipitar to precipitate; —**se** rush, fling oneself

preciso necessary

preferencia *f.* preference

preferir (ie) to prefer

pregunta *f.* question

preguntar to ask

prematuro premature

prendedor *m.* brooch

prender to seize, arrest

prensa *f.* press

preocupación *f.* prejudice, pre-occupation

preocuparse to worry, be prejudiced

preparar to prepare

presa *f.* capture; prey

presencia *f.* presence

presenciar to witness, attend

presentar to present

presente present; *m.* present time

preso imprisoned; seized, overcome; *m.* prisoner

prestar to lend; **buscar prestado** borrow; **hombre de —**, useful person, moneylender

presteza *f.* quickness

prestigioso distinguished

pretender to try, pretend; aspire to

pretextar to give as a pretext

pretexto *m.* pretext, pretense

prevenir to prepare

previo previous

primavera *f.* spring

primero first

princesa *f.* princess; **princesita** little princess

principal renowned, principal

príncipe *m.* prince

principiar to begin

principio *m.* beginning

prisa *f.* haste

prisión *f.* prison, capture; *pl.* chains, fetters

privado private

privilegiar to grant a privilege

probablemente probably

probar (ue) to prove, try

procurar to try, endeavor; manage; succeed in getting

pródigo lavish

producir to produce

profano not sacred

profundo deep, profound

prometer to promise

pronto soon; **de —**, soon, quickly

pronunciar to pronounce, deliver (*a speech*)

propiedad *f.* possession, quality, eminent domain

propietaria *f.* proprietor

propio own

proponer to propose

prosa *f.* prose; *word used by Rubén Darío as by the old Spanish poets to mean a poem in the vernacular*

próspero prosperous, favorable

protesta *f.* protest

provincia *f.* province

prudencia *f.* prudence

prudente prudent

publicar to publish

público public; *m.* public, audience

pueblo *m.* town, people

puerta *f.* door

pues then, well, for, as; **— bien** now then, well; **— que** since; **— sí** yes indeed

puesto *m.* post, position, stand, booth

punta *f.* point, corner (*of handkerchief*)

punto *m.* point, spot, instant; **a — de marchar** at the time

of your going away; **en —,**
exactly
pupila *f.* pupil (*of eye*)
puro pure

Q

que that; who; than; for, as,
because; **de —,** from the time
that
qué who, whom, which, what,
how; ¿ **— hay quien?** is there
anyone who?
quebrantar to break
quebrar (ie) to break
quedar to remain, be left, be;
queden ustedes con Dios;
may God keep you! **—se** rest,
remain, stay
quedito gentle; *adv.* quietly,
softly
queja *f.* complaint
quejarse to complain
quemar to burn
querella *f.* complaint, love lament
querer to wish, want, like, love;
— decir mean
querido beloved, dear; **queridísimo** very dear
queso *m.* cheese
quien, quién who, whom, who-
ever; ¡ **quién supiera escribir!**
if one only knew how to write!
quieto quiet, still
quietud *f.* quietness
quitar to take away, remove,
take out, take off; **—se** go away
quizá perhaps

R

rabo *m.* tail
ración *f.* ration, allowance, portion; **de —,** as an allowance
rama *f.* branch, bough

ramo *m.* branch (*of a tree*)
rápidamente rapidly
rareza *f.* oddness, queerness
ratero *m.* petty thief
rato *m.* while, space of time;
mucho —, a long time;
muchos —s often
ratón *m.* mouse
ratonado gnawed (*by mice*)
ratonera *f.* mousetrap
rayado striped
rayar to scrape, cut off
razón *f.* reason, account; speech,
remark, argument; cause; **de
—,** rightfully; **tener —,** to be
right
reacción *f.* reaction, reactionary
party
reaccionario reactionary
real royal; real, actual; *m. small
Spanish coin;* **realísimo** very
real
realidad *f.* reality
realización *f.* realization
realizar to realize
rebelarse to rebel, revolt
receta *f.* recipe
recibir to receive
recibo *m.* receipt; **tal o cual —,**
such and such a receipt
recién recently
reciente recent
recobrar to recover
recoger to gather, pick up
reconocer to recognize; inspect,
examine closely
recordación *f.* remembrance
recordar (ue) to remember,
awaken; **—se** remember
rectificar to make right
rector *m.* rector, parish priest;
president of university
recuerdo *m.* recollection, memory, remembrance, memento
recular to yield, give up

recuperar to recover
recurrir to resort to
rededor *m.* surroundings; **mirar en —**, to look around him
reducir to reduce
referir (**ie**) to refer, relate, report; **—se** refer to
reflexionar to think, reflect
regalar to present as a gift
Regidor *m.* magistrate
registrar to scan, examine, record
regreso *m.* return
reinar to reign
reino *m.* kingdom
reír *m.* laughter; *verb* to laugh, laugh at; **—se** laugh; **—se de** laugh at
relación *f.* relation, connection, narrative
relámpago *m.* lightning
relato *m.* narrative, report
religioso *m.* one who has taken monastic vows *or* holy orders
relucir to glitter
remediar to remedy, help
remedio *m.* remedy, help, aid
rendir (**i**) to give up, surrender
renunciar to renounce, forego
reñir (**i**) to quarrel, fight
reo *m.* offender, criminal
reparación *f.* repair, amends, atonement
reparar to consider, observe; stop
repartir to distribute, bestow
repente *m.* sudden movement; **de —**, suddenly
repetir (**i**) to repeat
replicar to reply
reponer to reply, replace
reposar to rest
reposo *m.* rest, repose
representación *f.* representation; **en — mía** as my representative
representar to represent, act

reprimir to repress, restrain
reprobar (**ue**) to condemn
república *f.* state, public good
repuesta *f.* answer
reputación *f.* reputation
reputar to repute, consider, estimate
resistir to resist; **—se** resist; **se me resiste** it is difficult for me
resolver (**ue**) to resolve, determine; **—se a** decide upon
resoplo *m.* audible breath, snort
respetable respectable
respetar to respect
respeto *m.* respect
respirar to breathe
resplandor *m.* brightness, radiance, light
responder to answer, respond, reply
respuesta *f.* reply
resumido abridged; **en resumidas cuentas** in short, briefly
retirar to withdraw, retire, remove
revendedor *m.* retail merchant
reverencia *f.* respect, courtesy
revolver (**ue**) to turn over
revuelta *f.* returning, winding
rey *m.* king
rezar to pray
rico rich; *m.* rich man
ridiculez *f.* ridiculous thing *or* action
ridículo ridiculous; *m.* ridicule, ridiculous situation
rienda *f.* rein; **a — suelta** with free rein
riesgo *m.* risk
riguroso harsh, severe
rima *f.* rhyme, lyric poem
rincón *m.* corner
río *m.* river
riqueza *f.* riches, wealth

risa *f.* laughter; **tomar a** —, to take as a joke

robar to steal, plunder

robusto robust, strong

roca *f.* rock, cliff

Rocinante *name of Don Quijote's horse;* **Rocín** *means a poor old horse*

rodar to roll

rodear to surround

rodilla *f.* knee; **de** —**s** kneeling

roer to gnaw, pick, eat off

rogar (**ue**) to ask, beg

rojo red

Roma Rome

roncar to snore

ronco hoarse, raucous

ronda *f.* night patrol; dance in a circle

ropa *f.* clothing, robe

rosa *f.* rose

rostro *m.* face

Rota *town near Cádiz noted for its production of fine vegetables*

roto broken

rotundo clear, full

rozar to rub against

rubio golden, blonde; *f.* blonde girl

rudo severe, rough, unpolished, crude

ruego *m.* entreaty

rugir *m.* roaring

ruido *m.* noise

ruin mean, vile

Ruy Díaz *name of the Cid, medieval Spanish hero*

S

sábado *m.* Saturday

saber to know, know how to; *m.* learning, knowledge

sabio *m.* wise person, sage, magician

sacar to draw out, pull out, take out, clear; hatch

sacerdote *m.* priest, clergyman

sacrificio *m.* sacrifice

sacudir to shake, shake off

sagaz wise, sagacious

sagrado sacred, consecrated, holy

sala *f.* room

Salamanca *university city on the river Tormes in west central Spain*

salir to leave, go out, depart, come out; —**se** depart

saltar to leap, jump

salto *m.* jump, leap

salud *f.* health

salvación *f.* salvation

salvar to save

sangre *f.* blood; — **fría** composure

San Juan Saint John

sano sound, well, healthy

San Pedro Saint Peter

Santander *fishing center and seacoast resort of northern Spain*

Santiago *capital of Chile*

santiguarse to cross oneself, make the sign of the cross

santo holy; *noun* saint

satisfacción *f.* satisfaction

satisfacer to satisfy

satisfecho satisfied

se himself, itself, herself, yourself, oneself, themselves, yourselves

seco dry

secreto secret, private; *m.* secret

seguida *f.* continuation; **en** —, immediately

seguir (**i**) to follow, continue, remain; **no se podían** — **con** they could not follow along *or* correspond to; **sigamos** let us go on

según according to, as

segundo second

seguramente surely

seguro secure, safe, sure, certain

semana *f.* week; **dos veces por —**, two times a week

semejante similar

sencillo simple, single

sensación *f.* sensation

sentar (ie) to seat; **—se** sit down

sentencia *f.* sentence, verdict

sentenciar to sentence

sentido sensitive, finely perceived; *m.* sense, consciousness

sentimiento *m.* sentiment, feeling

sentir (ie) to feel, grieve, sorrow, be sorry; perceive, hear

señal *m.* sign

señalar to point out, indicate

señor *m.* sir, master, mister, gentleman, God; **— padre** Father in Heaven

señora *f.* madam, lady, wife; **la mi —**, my lady; **Nuestra Señora** our Lady, the Virgin

separar to separate

sepultura *f.* tomb

ser to be; *m.* being, essence, life

seriamente seriously

serie *f.* series

serio serious; **en —**, seriously

sermón *m.* sermon

servicio *m.* service

servidor *m.* servant; **— de usted** your servant (*said on leave-taking*)

servir (i) to serve

seso *m.* brain, senses

severo severe

Sevilla Seville (*city of southern Spain*)

si if; **— bien** although

sí yes

sí himself, herself, itself, yourself, oneself, themselves, yourselves

siempre always

sierra *f.* mountain range

siglo *m.* century, age; world; **— de oro** Golden Age (*of Spanish literature extending from about the middle of the sixteenth to the middle of the seventeenth century*)

significar to mean

signo *m.* sign

siguiente following

silbar to whistle

silbido *m.* whistle

silbo *m.* whistle

silencio *m.* silence

silla *f.* chair

sin without; **— que** without

sincerar to justify, excuse

sinceridad *f.* sincerity

singular strange

siniestro left, on the left hand

sino but, besides, except; **no eran —**, they were only

siquiera even

sitio *m.* place

situación *f.* situation

soberano sovereign, supreme; *m.* owner, lord, sovereign

sobre upon, on, over, above; **— todo** especially

sobresalto *m.* startling surprise

sobrina *f.* niece

sociedad *f.* society

socorrer to help

socorrido useful

sofocado suffocated

solamente only

soledad *f.* solitude

solemne solemn

solemnidad *f.* solemnity, religious pomp

soler (ue) to be accustomed

solitario solitary, lonely
solo only, alone, single; **a solas** alone
sólo only, solely
soltar (ue) to turn loose, let go, untie, loosen
soltera *f.* unmarried woman
sollozar to sob
sombra *f.* shadow, shade
sombrero *m.* hat; — **de tres picos** three-cornered hat
sombrío sombre, gloomy
someter to submit
son *m.* sound
sonar (ue) to sound, make a noise; —**se** be rumored
soneto *m.* sonnet
sonido *m.* sound
sonriendo smiling
sonriente smiling, happy
soñar (ue) to dream, sleep
sopa *f.* soup
sorprender to surprise
sorpresa *f.* surprise
sosegar to rest, quiet
sospecha *f.* suspicion
sospechar to suspect
sostener to sustain, nourish
su his, her, its, their, one's, your
suave soft, smooth
subir to go up, mount, rise
súbitamente suddenly
suceder to follow
suceso *m.* event, happening, success
sucio dirty
suelo *m.* ground, floor
suelto free, swift, light; **dormir a sueño** —, to sleep soundly
sueño *m.* sleep, dream
suerte *f.* luck, fate, fashion, manner
sufrir to suffer, endure
sujetar to subdue, subject

sujeto liable, exposed, subject; *m.* subject; fellow
suma *f.* sum, aggregate; **en** —, in short, to sum up
sumamente exceedingly
suplicar to implore, beg
suponer to suppose, assume
suposición *f.* supposition
suprimir to suppress, abolish
supuesto *m.* supposition; **por** —, naturally, of course; — **que** since
suspender to postpone, delay
suspirar to sigh
suspiro *m.* sigh
sustentar to sustain; —**se** be nourished
susto *m.* fright, shock
sutil subtle
suyo his, her, its, their, your; hers, theirs, yours

T

tablilla *f.* piece of board
tacto *m.* tact, skill, touch
tacha *f.* fault
tal such, such a; — **vez** perhaps
talento *m.* talent, cleverness
talonario stub; **libro** —, stub-book (*for noting receipts of money paid*)
tallo *m.* stem
tamaño *m.* size
también also
tampoco neither, either
tan so, such, as
tanto so much, so many, as much, as much as; **en** — **que** while; **por lo** —, therefore
tapar to cover up
tapia *f.* wall of a garden
tardar to delay
tarde *f.* afternoon, evening; *adv.* late

Tate *name of a district or large farm in Peru*

te you, to you, yourself, to yourself

temblar (ie) to tremble, shake

temblor *m.* trembling, shaking

temer to fear, be afraid of; **es de —**, is to be feared

Temido *m.* Feared (*name of vessel in the "Canción del pirata"*)

temor *m.* fear

temporada *f.* time, season

temprano early, soon

tender (ie) to stretch, lay

tenedor *m.* fork

tener to have, hold, consider; **¿qué tiene ella?** what is the matter with her? **— por** consider; **— que** have to, be obliged to; **— razón** be right; **—se en piernas** stand

tentar (ie) to touch, feel

tercero third; **en tercera** in third class (railway carriage)

terminar to end

término *m.* word, term

ternero *m.* calf

ternura *f.* tenderness

terregoso rough, full of clods

terreno *m.* land, ground

territorio *m.* territory

tesoro *m.* treasure

ti you

tía *f.* aunt (*may also be used familiarly in referring to an older woman*)

tiempo *m.* time, weather; **a —**, on time

tienda *f.* store, shop, tent, awning

tiento *m.* touch, feeling; **al — del pan** on feeling the bread

tierno tender, soft, affectionate

tierra *f.* land, earth, country

tiesta *f.* (*old Spanish*) head

tímido timid

tío *m.* uncle (*also used familiarly referring to an old man*)

tipo *m.* type, figure

tirar to throw, cast off, draw, pull

tisú *m.* gold *or* silver tissue

tocar to touch

todavía still, yet, even

todo all, every; *pron.* all, each one, everything; **del —**, entirely

Toledo *historical Spanish city located on the river Tajo southwest of Madrid*

tolerar to tolerate

tomar to take, drink; **¡toma!** well! take that!

tomate *m.* tomato

tono *m.* tone, social manners

tontería *f.* foolishness, nonsense; **escribir cuatro —s** to write some foolish things (**cuatro** is here indefinite)

torcer (ue) to turn, twist

tormenta *f.* storm

tormento *m.* torment, anguish

Tormes *tributary of the Duero river in Spain*

tornar to turn, return; **— a** do something again; **—se** return

trabajar to work

trabajo *m.* work

tradición *f.* tradition

traer to bring, lead, carry; wear

trágicamente tragically

trágico tragic

traje *m.* costume, dress

trampa *f.* trap; **armar —**, to set a trap

tranquilamente quietly, calmly

tranquilizar to calm

tranquilo calm

trapisondista *m.* mischief-maker

tras behind, after

tratado *m.* treatise, chapter
tratar to treat, consider; — **de** try to; —**se de** be a question of; —**se con** treat with, be on friendly terms with
trato *m.* treatment
través *m.* traverse, crossbeam; **a — de** across, through
tremendo tremendous, dreadful
tribuna *f.* gallery, grandstand, rostrum
Tribunal *m.* court of justice
trinchador *m.* carver, person who carves the meat
triste sad, unhappy
tristemente sadly
triunfal triumphal
triunfar to triumph, be triumphant
triunfo *m.* triumph
tropa *f.* troop
tropezar (**ie**) to stumble; — **con** strike against
trozo *m.* piece
trueno *m.* thunder
tu your
tú you
túnica *f.* tunic
turbación *f.* confusion
turbar to disturb
turco *m.* Turk
tuyo your, yours

U

último last; **por —**, finally
un, una a, an, one
único only; *m.* only person
uniforme *m.* uniform
unir to join, unite
unos *pl.* some
uña *f.* fingernail
urgente urgent
usar to use, exercise; — **de** show, use

uso *m.* use
usted you
utilidad *f.* use
¡uy! uf! (*exclamation denoting annoyance*)

V

vaca *f.* cow
vacilar to hesitate
vacío empty
vago vague
Valencia *Mediterranean region of Spain, famous for its fruits*
valer to protect, defend; be worth; — **la pena** be worth the trouble
valeroso brave
valor *m.* courage; value
valle *m.* valley
vanidad *f.* vanity
vano vain, frivolous; **en —**, in vain
vaquera *f.* cowgirl
varón *m.* man
vasallo *m.* vassal, subject
vaya (*from* **ir**) come! what an idea!
vecino *m.*, **vecina** *f.* neighbor, resident
vela *f.* candle; sail (*of ship*); **a toda —**, with all sails set; **hacerse a la —**, to set sail
velo *m.* veil
veloz swift
vencer to conquer, overcome
vencimiento *m.* conquest
vendar to bind, bandage
vender to sell
veneno *m.* poison
venganza *f.* vengeance
venida *f.* coming
venir to come; —**se** come along; **se viene** one comes
ventura *f.* happiness, luck, fortune

ver *m.* sight; *verb* to see; **es de** —, one sees; **a** —, let's see
verano *m.* summer
verdad *f.* truth; **¿ verdad?** isn't it so? **de** —, real, true
verdaderamente truly, really
verdadero true, real
verde green
verdura *f.* greens, green vegetables
vergüenza *f.* shame
verso *m.* verse
vestido *m.* dress
vestir (i) to dress, put on, wear
vez *f.* time, turn, occasion; **a veces** at times; **en** — **de** instead of; **otra** —, again; **tal** —, perhaps
vía *f.* way; **hacer la** —, to go along the road
viaje *m.* journey
vida *f.* life; **en mi** —, (*before verb*) never in my life
vieja *f.* old woman
viejo old; *m.* old man
viento *m.* wind
vientre *m.* womb
vigüela *f.* guitar
vil vile, mean
vino *m.* wine
viña *f.* vineyard
violentamente violently
violento extremely uncomfortable, irritable, furious
violeto violet
Virgen *f.* Virgin
virtud *f.* virtue, power
virtuoso virtuous

visita *f.* visit; visitor, company
visitar to visit
vista *f.* sight, view; **de** —, in view
visto obvious; **por lo** —, apparently
viuda *f.* widow
vivir to live; *m.* living, life, existence
vivo vivacious, lively, alive
volar (ue) to fly, move swiftly
voluntad *f.* will, purpose, disposition
volver (ue) to turn, return; — **a** do something again; — **en sí** recover one's senses *or* composure; —**se** turn around
vos (*old form for* **os**) you
vosotros, vosotras *pl.* you
voz *f.* voice, word, term; **dar voces** to shout
vuelo *m.* flight; **remontar el** —, to take to flight
vuelta *f.* turn, turning, return; **dar la** —, to turn about; **de** —, back, returned
vuelto turned
vuestro your, yours
vulgar vulgar, common, of the people
vulgo *m.* common people

Y

y and
ya already, now; — **que** since, seeing that
yo I
yugo *m.* yoke